I Narratori / Feltrinelli

PAOLO NORI

ENTE NAZIONALE DELLA CINEMATOGRAFIA POPOLARE

Feltrinelli

Prima edizione ne "I Narratori" maggio 2005

ISBN 88-07-01678-8

Quando lei ha parlato del vento mi sono venute le lacrime. Crede che potessi piangere? Non posso che sbraitare. Le dirò che alle volte vado al cinema per sfogarmi a piangere. Già, al cinema.

JOSEPH ROTH

Primo film
Mia moglie mi ha lasciato, nananà nananà, per il mio migliore amico, nananà nananà

Amiri Baraka dice che il blues è nato quando gli schiavi negri sono diventati americani. Quando hanno cominciato a usare l'inglese. Quando uno di loro ha alzato la testa dal suo campo di cotone e ha detto Oh, Ahm tired a dis mess. I, oh, yes, Ahm so tired a dis mess. Oh, sono stanco di questo schifo. Io, oh, sì, son proprio stanco di questo schifo.

Guy Martin dice che le cinquecentotrenta miglia da Memphis a New Orleans dovrebbero farle tutti gli americani che hanno più di ventun anni. Dice che questa è la loro Mesopotamia, il posto dove, nel diciannovesimo secolo, è nata metà della loro musica.

Poca gente, dice Guy Martin, fa questo viaggio da Memphis a New Orleans, per via del fatto che il delta del Mississippi è un posto brutto, uniforme, piatto, caldo, noioso. Proprio per quello, dice, bisogna andarci.

Rudy Williams gira ubriaco per Memphis con un vestito bianco e una tromba in mano. Ha un biglietto da visita che dice che lui è il più autentico musicista di strada di Memphis, ambasciatore e sindaco di Beale street, la strada dei locali, del B.B. King's Blues cafe, dell'Elvis Presley's Museum, del ZZ Top's pub.

Mussolini, ti dice, quando gli dici che sei italiano.

Linda Butler è il direttore dell'ufficio del turismo di Tùpelo, Mississippi, il posto dove, nel millenovecentotrentacinque, è nato Elvis Presley.

Qualche volta, quando la Butler porta in giro le autorità, Philip, suo nipote, l'accompagna. Prende su un libro, Philip, che i posti del giro di Linda Butler, la casa natale di Elvis, il negozio dove Elvis ha comprato la prima chitarra, il locale dove Elvis ha suonato in pubblico per la prima volta, la collina dove Elvis andava a riposarsi, lui li ha già visti e rivisti fino alla nausea, Philip.

Linda Butler dev'essere merito suo, se per tutto il Mississippi ci sono dei cartelloni luminosi con la foto di Elvis da giovane e con scritto Tùpelo, the place to go.

Lei dice che chi viene in Mississippi non può non passare per Tùpelo, che Elvis è una figura importante del novecento e Tùpelo è il posto dove è nato e anche quando è diventato famoso è rimasto molto legato, a Tùpelo, Elvis, dice Linda Butler.

Anche a Graceland, dice, bisogna andare, ma prima di tutto a Tùpelo.

Per via del fatto che Elvis, dice Linda Butler, non era solo il musicista che tutti conosciamo, era anche un attore dotato che ha fatto ben trentuno film.
Tutti uguali, dice suo nipote.
Leggi e taci, gli dice Linda Butler.

A Graceland con la fotografa decidiamo di non andarci.

Primo, non è in Mississippi, è in Tennessee. Secondo, il pieghevole che parla di Graceland dice che a Graceland quello che puoi fare, con dieci dollari (riduzione del venti per cento per gli over sessantaquattro e per gli under quattordici) puoi vedere la collezione di automobili di Elvis, con sette dollari (riduzione del venti per cento per gli over sessantaquattro e gli under quattordici) la collezione di vestiti di Elvis, con sette dollari e mezzo (il venti per cento in meno se sei over sessantaquattro o under quattordici) la collezione di chitarre di Elvis.

Andiamo a Clarksdale, che ci ha detto Philip che c'è pieno di musicisti blues e che c'è anche una comunità italiana piuttosto importante.

Ma l'Italia, ci ha chiesto Philip, Roma, ci ha chiesto, è davvero come in Gladiator, il film di Ridley Scott?

Quando le chiedo come le è sembrato Tùpelo, la fotografa dice che i posti son tutti uguali, tranne la casa, e che la cosa importante è che lei poi torna a casa, che son quattro mesi che è sulla giostra Non come te, dice, che sei appena arrivato hai l'entusiasmo tipico di quelli che sono appena arrivati.

Ci sono un mucchio di casinò, sparsi per tutto il Mississippi, sia sul fiume che sulla costa, nel Golfo del Messico. A nord est, intorno a Tùnica, praticamente non c'è altro che dei casinò, con dentro delle signore che girano con dei bicchieroni pieni di monetine che giocano alle slot-machine.

Una gran confusione, un rumore continuo di slot-machine che dopo dieci minuti ti gira la testa ti viene il dubbio che l'han fatto apposta, gli organizzatori.

E ci son sempre anche dei gruppi di musicisti che suonano il blues, dentro nei casinò, solo che anche loro si vede che li han presi per far confusione, non li ascolta nessuno.

Il Mississippi, come fiume, per scriverci un film bisognerebbe esserci un po' più in confidenza. Io guardarlo, a me non sembra il Mississippi, potrebbe benissimo essere l'Hudson, o il Tamigi.

Io l'Hudson non l'ho mai visto il Tamigi l'ho visto una volta ma non m'ha fatto molta impressione, per me il Tamigi non è il Tamigi, è un fiume, a differenza del Po, per dire, che non è il fiume più lungo d'Italia, è il Po, o della Nevà, che non è il fiume di Pietroburgo, è la Nevà, per non parlare poi della Parma, che non è il torrente di Parma, è la Parma, ma non ne parliamo.

Io, sono italiano, ci dice Billy Joe Haley, capitano della polizia di Clarksdale, Mississippi, quando gli chiediamo se per caso ci son degli italiani, a Clarksdale. Italiano di terza generazione, da parte di madre, che non parla più una parola.

Lo incontriamo al mattino al cimitero, in America è il giorno che si ricordano i morti americani di tutte le guerre, al cimitero al mattino ci sono un centinaio di bianchi con le bandiere e una piccola banda di ottoni e una cantante che canta l'inno americano non troppo intonata.

Se vogliamo, ci dice Billy Joe Haley, ci può portare da sua mamma così parliamo con lei, e se vogliamo ci può portare anche in giro a vedere i posti del blues che è vero, che Clarksdale è importante, per il blues, c'è anche la piantagione di cotone dove è venuto su Muddy Waters.

Dice Peter Guralnick che Muddy Waters, pur essendo uno dei bluesmen più famosi del mondo, per molto tempo ha fatto il camionista, cinque giorni la settimana, poi di notte suonava nei juke. Solo nel cinquantotto, quando è andato a Montreal e ha fatto un concerto dove c'era un sacco di gente, ha capito che stava cambiando qualcosa.

What the hell is, this thing? Che diavolo è, questa roba? What is going on? Cosa sta succedendo? ha detto Muddy Waters quando ha visto che al suo concerto di Montreal c'era un pubblico spropositato.

Billy Joe Haley ci porta in un locale che si chiama Red Top, ci son due vecchi negri, dentro, quando gli diciamo che siamo venuti qui per raccogliere storie di blues son contentissimi, cominciano a parlare e a dire un mucchio di cose probabilmente interessantissime, solo parlano in un modo che non si capisce niente di quello che dicono.

Rousselt Granberry, magro magro, capelli bianchi, scarpe da ginnastica blu, sta seduto nella penombra del locale e fuma una sigaretta dopo l'altra e tutte le cose che dice cominciano con Ehy, river man!

Dopo non si capisce più niente, solo una volta intuisco che mi chiede da dove vengo From Italy, gli dico.
Italy Mississippi? mi chiede lui.
No, gli dico, Italy Europe.
Ehy, river man, dice Rousselt Granberry rivolto a Billy Joe Haley come per dire Ma da dove viene, questo qua?

Foster Wiley ha i denti tutti storti e quando parla balbetta. Sbatte gli occhi continuamente, si vede che si sforza di farsi capire, solo io, mi dispiace, non capisco niente. Mi traduce Billy Joe Haley che se vogliamo può cantare qualcosa per noi con la chitarra.

Se la gode come un matto, Foster Wiley, quando suona, non balbetta neanche non sbatte più gli occhi però le cose che canta, mi dispiace, sembra che parla una lingua che io non la conosco minimamente.

Muddy Waters a un certo punto, sembra che abbia messo su una band a suo nome coi più bravi musicisti di blues, e con questa band girava le Americhe.

Erano bravissimi, dice Muddy Waters a Peter Guralnick, erano talmente bravi, la band suonava così bene che a me passava la voglia di suonare. Facevo due o tre canzoni per sera poi il resto del tempo restavo a ascoltare la band che suonava.

Al Red Top ci raggiunge Artheneice Jones, l'hanno avvisato che c'è della gente che vuole saperne del blues e lui tra i viventi è probabilmente il musicista blues più famoso di Clarksdale.

Suono l'armonica da quando avevo dieci anni, e se volete farmi delle foto mi dovete pagare, ho un contratto in esclusiva con un agente. Se però me le mandate, facciamo finta di niente, fatele pure, l'importante è che poi me le mandate.

Il blues, dice Artheneice Jones, ognuno ha un'idea sua, del blues.

Il blues per me nasce dal fatto che non sei libero, che non puoi dir delle cose allora proprio per quello le dici.

È una cosa che è nata qui, dice, e che adesso è internazionale, come gli hamburger, o il whisky.

Ci sono in giro un mucchio di pappagalli, dice Artheneice Jones, però se vuoi sentire il blues vero, devi sentire qualcuno di queste parti.

Come Artheneice Jones, dice Artheneice Jones.

Ricordatevi questo nome, dice, Artheneice Jones. Guess man, come mi chiamano.

Qui gli italiani li han sempre trattati un po' male, agli occhi dei bianchi erano un po' come i negri, dice Billy Joe Haley. Per questo i miei rapporti coi negri son buoni, per via che per metà sono italiano.

Irlandese da parte di padre, italiano da parte di madre.

Gli italiani qui storicamente son sempre stati un po' derisi un po' sbeffeggiati. Wops, li chiamavano, che significa without papers, senza documenti. Oppure li chiamavano degos, che si legge déigos, per via del fatto che lavoravano a giornata.

Dego e wop son due brutte parole.

Fino a poco tempo fa bastava che in una discussione con un italiano qualcuno pronunciasse quella parola, dego, scoppiava subito la rissa, dice Billy Joe Haley mentre ci porta dai suoi genitori con la sua macchina della polizia con il fucile sul sedile davanti pronto a sparare, dal carcere qua vicino son scappati due ergastolani, intorno a Clarksdale c'è pieno di posti di blocco di poliziotti che han l'ordine di sparare a vista.

Io ho lavorato per quarant'anni come elettricista in un gin, un impianto che lavora il cotone, dice il babbo di Billy Joe Haley.

Adesso sono in pensione vado a caccia di tacchini, dice intanto che dondola sulla sua poltrona a dondolo nel suo salotto con la moquette spessa degli americani, qui dappertutto ci sono queste moquette anche negli alberghi, anche nei casinò, anche nelle pizza hut dappertutto.

Il quartiere dove abitano è un quartiere residenziale, con

le casette monofamiliari a un piano che ci son dappertutto, in America, con il prato davanti sempre tagliato perfetto, qui continuamente a guardarli la gente sembra che non fanno altro che tagliare dei prati.

Un quartiere tranquillo, dico al babbo di Billy Joe Haley.
Tranquillo, mi dice lui.

Ci sono solo due famiglie di negri, che abitano in questo quartiere, per il resto siam tutti bianchi.
Ma noi coi negri ci andiamo d'accordo, gli dice Billy Joe Haley.
Insomma, gli dice suo babbo.

Gli italiani, dice la mamma, mio nonno, era italiano, aspetti qua, dice, e sparisce dietro una porta poi quando torna mi esibisce un certificato di nascita emesso dal comune di Alessandria a nome di Pietro Gho È scritto in italiano? mi chiede.

Gli italiani io quando ero giovane, dice la mamma di Billy Joe Haley, era un problema, essere italiano, c'erano quelli del Ku Klux Klan che non ci lasciavan tranquilli, ci scrivevano delle porcherie sulle porte, a qualcuno gli han perfino bruciato la casa oooh, dice, ne abbiamo patite.

Anche mia mamma, dice il babbo, quando ho deciso di sposarmi con lei, nel millenovecentoquarantanove mi ha detto Devi passare sul mio corpo, se ti vuoi sposare con quella dego. Va bene, ho detto io, passerò sul tuo corpo. Era per via della religione, ma io e mia moglie non abbiam mai avuto problemi, di religione.

Dego è una brutta parola, dice il babbo.

Fino a poco tempo fa bastava che qualcuno in una discussione con un italiano pronunciasse quella parola lì, dego, scoppiava subito una rissa.

Il senso è un po' quello di S.O.B., sapete cosa significa S.O.B.? Ecco, dego, è uguale. Deriva dal fatto che gli italiani giravano sempre a cercare i lavori, un giorno qui, l'altro là, allora per quello, they go.

Secondo me è per via che lavoravano a giornata, dice Billy Joe Haley.

No, gli dice suo babbo, è per via che giravano.

Qui a Clarksdale ce ne sono molti, di italiani, dice il babbo, c'è anche un circolo dove si trovano il fine settimana, passan le giornate a giocare alle carte. Io non lo so, dice, che gusto ci provano a star tutto il giorno seduti a giocare alle carte a fare delle gran discussioni sui loro giochi di carte.

Io non ho niente contro gli italiani, tant'è vero che ne ho sposata una, ma una volta ci sono andato, mi sembravano tutti un po' scemi, passare i pomeriggi seduti a fare dei gran discorsi sui loro giochi di carte.

Vuoi mettere andare a cacciare i tacchini? dice, e si alza, tira fuori una scatola di cartone con dentro un centinaio di quei ciuffi che hanno i tacchini sul petto, più lungo se sono maschi, più corto se sono femmine.

Ma tu di dove sei? mi chiede la mamma di Billy Joe Haley.

Io sono di Parma, le dico.

Parma? mi chiede.

Conosce il parmesan cheese? le chiedo.

Certo, mi dice lei.

Ecco, le dico io, quello lì.

Adesso cosa fate? ci chiede Billy Joe Haley, e significa che ormai è ora che lo molliamo che lui ha da fare deve catturare due evasi pericolosi ci fa vedere le foto segnaletiche su una di queste foto qualcuno ha disegnato un fumetto ci ha scritto I love strong men.

Ma, gli diciamo a Billy Joe Haley, forse ci fermiamo qui.
Se vi fermate stasera c'è un festival blues qui vicino, a Coffeeville. E domani, ci dice, potete andare a trovare Big Jack Johnson, che è il musicista blues più famoso tra quelli che abitan qua, vi faccio vedere io, dove abita. Poi potete andare a vedere l'incrocio dove se uno vuole imparare a suonare il blues dicono che può imparare dal diavolo. Dicono che Robert Johnson, ha imparato così.

Che quando suonava suonava voltato verso la parete perché non voleva che la gente vedesse come metteva le dita e allora hanno cominciato a dire che aveva imparato a suonare dal demone vudu Papa Leg in cambio dell'anima.

Poi potete andare al Delta Blues Museum, qui a Clarksdale, dove ci son molte cose che vi possono interessare, c'è anche una chitarra che ha fatto far ZZ Top, è fatta col legno della casa d'infanzia di Muddy Waters.

Muddy Waters, dice Peter Guralnick, tra il quarantotto e il quarantanove insieme a Little Walter e Jimmy Rogers batteva tutta la zona del delta del Mississippi voleva vincere tutti i concorsi per musicisti blues che trovava.

Gli organizzatori dei concorsi gli dicevano, a Muddy Waters, Uh uh, Muddy, you's too heavy. Uh uh, Muddy, sei troppo forte. You can work for me, if you wants, gli dicevano gli organizzatori, but you's too heavy to be in the contest. Puoi lavorare nel mio locale, se vuoi, ma sei troppo forte per il concorso. Muddy Waters dice a Peter Guralnick che a lui questo fatto di essere molto forte gli piaceva molto, tra il quarantotto e il quarantanove.

Ero giovane, allora, dice Muddy Waters a Peter Guralnick.

Siamo gli unici bianchi, io e la fotografa, a parte due musicisti che devon suonare e un ragazzo coi capelli rossi e la maglia dei Boston Celtics che gira anche lui per questo campo da football americano con i wc portatili nei quattro angoli, con le bancarelle che vendon le coche, le birre, il pollo fritto, il maiale, con i negri che si son portati da casa le sedie, i frigo con le coche, le birre, il pollo fritto, il maiale, sembra di essere alla festa dell'Unità, al festival blues di Coffeeville, la differenza che qui son tutti neri a parte due musicisti, io, la fotografa, e un ragazzo rosso con la maglia dei Boston Celtics.

Sono di San Francisco, mi dice Mark Davis, uno dei due musicisti bianchi E tu, mi chiede, di dove sei?

From Parma, Italy, gli dico.

Parma?

You know parmesan cheese? gli chiedo.

Yes.

Ecco, gli dico, quello lì.

Ma tu, come mai sei qui in Mississippi?

Io abito qui, dice, mi son trasferito nel delta per suonare il blues.

Ma come mai il delta? È un posto così speciale, gli chiedo, per suonare il blues?

Sì, mi dice Mark Davis, è un posto speciale.

Come mai non lo so, mi dice, solo è speciale. È un po' come voi a Parma. Voi a Parma fate il parmesan cheese, mi dice Mark Davis, noi qui nel delta facciamo il blues.

Ma chi è il musicista più famoso che suona qui? gli chiedo.
Quello lì, mi dice, è di Clarksdale, lo chiamano Razor Blade.

Lei è di Clarksdale?
Sì.
Conosce Billy Joe Haley, il capitano di polizia?
Sì.
Non è che per caso lei abita lungo il fiume vicino alla stazione di polizia?
Che a Clarksdale con Billy Joe Haley avevam provato tre volte andare a vedere se era a casa il bluesman più famoso di Clarksdale che abitava sul fiume vicino alla stazione di polizia, non c'era mai Sarà a Coffeeville al festival blues, ci aveva detto Billy Joe Haley.

No, mi dice Razor Blade, non abito sul fiume. Comunque mi conoscono, chiedete in giro mi conoscono tutti.
Sì sì, gli dico, me l'han detto che lei è famoso. Anzi, se per lei va bene la verremmo a trovare a Clarksdale così ci facciamo una chiacchierata tranquilli quando vuole lei.
Quando volete voi, dice lui.

Big Jack Johnson non c'è. Big Jack Johnson è in giro da qualche parte a far dei concerti in Pennsylvania. Big Jack Johnson non è mai a casa, dice sua moglie, e poi scoppia a ridere.

Abitano in una casa di legno sbilenca tutta di corridoi che non finiscono mai ci son due frigoriferi, due lavelli, due lavatrici, due stufe, due lavastoviglie e una stanza su due della casa c'è un tavolo sempre apparecchiato con piatti bicchieri tovaglioli posate con tutto. Big Jack Johnson ha dieci figli, si sono attrezzati.

Quando finiam di mangiare, mi dice la moglie di Big Jack

Johnson, laviamo subito tutto poi riapparecchiamo, così è sempre pronto.

L'unica stanza che c'è sempre una gran confusione, mi dice, è la stanza dei giochi di Jack, che è tutta piena stipata di locandine, di giornali, di souvenir. Lui, ogni volta che torna a casa dai posti dove è stato a suonare, porta a casa qualcosa, e adesso questa stanza è stracolma non ci si può neanche entrare, mi dice la moglie di Big Jack Johnson e poi scoppia a ridere.

Io, non so come mai, sarà che un lavoro del genere non l'avevo mai fatto, io sono tre giorni che penso alla stessa cosa, a come scrivere Mississippi, se con due pi come si scrive o con una pi sola come si pronuncia.

La gente ci vede ai concerti, dice Josh Stewart, ci vede vestiti bene con tutti i lustrini, ha l'impressione che noi siamo ricchi, invece non siamo, ricchi, dice Josh Stewart nella sua tuta blu da meccanico quando lo andiamo a trovare nella sua casa di Clarksdale.

Io, dice, fino al novantanove non ho mai lavorato, delle volte non avevo neanche i soldi per pagarmi una birra, delle volte mi han perfino staccato l'elettricità.

Per fortuna adesso mi aiuta mia moglie.

Per me il blues è un piacere, non mi interessano i soldi, dal blues, però... lasciamo stare.

Però delle volte andiamo a suonare in certi posti, una volta siamo andati a Memphis, in Beale street, be', lì i locali son così cari che potevamo permetterci appena un pezzo di pizza, siamo tornati a casa affamati.

Ma io l'ho capito, quello che voglio fare, dice Josh Stewart, Razor Blade, lo chiamano, io sono contento quando sono su un palco.

Anche ieri a Coffeeville, non abbiam fatto soldi.

Non c'era abbastanza gente, alla fine non cian dato un centesimo. Perché non c'era abbastanza gente.

Io i soldi li vorrei anche fare, col blues, solo di marketing io non so niente. Ho suonato un po' con Big Jack Johnson, un po' con suo nipote, adesso basta, adesso suono da solo. Però... lasciamo stare.

Però con Casino blues Lou Milton ha fatto un milione di dollari. E sapete quanti soldi mi ha dato, a me? Neanche un centesimo.

Lou Milton vive a Chicago, io vivo qui, credete che è possibile che due persone scrivono contemporaneamente la stessa canzone? Non è possibile, dice, non è umanamente possibile. Un milione di dollari, ci ha fatto, Lou Milton, con Casino blues, e a me non ha dato neanche un centesimo.

Io Casino blues l'ho portata a New Orleans a una casa discografica, gli era piaciuta, solo mi han detto che tirar su un nuovo artista costava troppo, mi han proposto di farla fare da un artista affermato con già il marketing e così via.

Io gli ho detto di no, che Casino blues era mia e la suono io, gli ho detto, e dopo tre mesi salta fuori Casino blues di Lou Milton.

Una hit, dice Josh Stewart, un milione di dollari, ha fatto, e a me non ha dato neanche un centesimo.

È così, dice, dopo anni e anni di gavetta uno scrive una canzone che gli sembra che può avere successo, la canzone ha successo, diventa una hit, incassa un milione di dollari, tra l'altro in una versione peggiore, che tutti quelli che gli ho fatto sentire la mia Casino blues son tutti d'accordo che è meglio, la mia, di quella di Lou Milton, uno scrive una canzone che può avere successo che poi ha successo e lui non vede neanche un centesimo, dice Josh Stewart.

Io proprio di soldi col blues non ne ho fatti, dice.
Ne farai, gli dice la fotografa.
Non ne farò, le dice lui. Però... lasciamo stare.

Adesso ho due altre canzoni, una che mi piace molto si intitola Easy come easy go a me sembra bellissima non la faccio sentire a nessuno, l'altra è una canzone triste che a me non piace, non mi piacciono le canzoni tristi, però la gente che l'ha sentita gli piace molto mi forzano sempre a farla, si intitola It's hard to forget about you.

Io, dice Josh Stewart, non sarò milionario, non avrò una Rolls Royce, non avrò la piscina, però almeno io faccio la mia musica, non la musica degli altri che gliel'ho rubata, a me va bene così, dice. Però... lasciamo stare.

Domani sera suono qui a Clarksdale, in un juke, se volete venire.
Non possiamo, venire, domani ci aspettano a Cleveland, Mississippi.

A Cleveland, Mississippi, non è che ci sian molti musicisti blues, dice Foster Shamàn, pittore e scultore del legno, il padrone del bed and breakfast dove dormiamo. A Cleveland, Mississippi, in realtà non è che ci sia molto di niente, dice. L'unica cosa, proprio in questo isolato a due case di distanza ci abitava Harris, quello del Silenzio degli innocenti.

Quand'era piccolo veniva sempre a giocare nel nostro giardino, sembrava un ragazzo normale, anche simpatico, dice Foster Shamàn.

A Greenville dev'essere un posto che ce ne sono, di bluesmen, che a Greenville, il sedici agosto del millenovecentotrentotto, non si sa se ucciso da una amante gelosa, dal marito geloso di una sua amante o se intossicato dal Canned heat, il whisky fatto in casa, han trovato in un albergo il cadavere di Robert Johnson.

E Greenville è l'unica città che ci hanno indicato anche un locale, il Flowing fountains.

È chiuso, ci dice il gestore del Flowing fountains che lo troviamo davanti al suo locale su una panchina insieme a altri tre negri a passare il martedì pomeriggio al fresco dell'ombra su una panchina.

Apriamo giovedì venerdì sabato, dice. Siccome giovedì è giorno di paga, si apre al giovedì sera. Ma non facciamo più musica dal vivo, dice, viene un disc-jockey. Se vi interessa qualcosa sul blues vi conviene andare a chiedere al professore.

Sono gli artisti bianchi, che portano avanti il blues, i giovani neri ormai non lo suonano più, dice Malcom Walls quando ci riceve nell'aula insegnanti intanto che beve un caffè e mangia del pollo.

I giovani neri prendono il blues come una reminiscenza del passato, a loro non interessa il passato, non gli interessa la tradizione, per loro il blues è negativo. E per i neri vecchi e tradizionalisti è negativo anche per loro, dice Malcom Walls, anzi per loro è la musica del diavolo.

Anch'io da piccolo, quando vivevo coi miei genitori, non potevo ascoltarlo, il blues. Solo i gospel in chiesa, gli spiritual. La cosa strana è che gli stessi gruppi che la domenica in chiesa cantavano i gospel e gli spiritual, il sabato sera nei juke joints suonavano il blues.

Io questa cosa ai miei genitori ho provato a spiegargliela per degli anni, dice Malcom Walls, non sentivan ragioni. Il blues è la musica del diavolo, dicevano, e basta. Tu finché vivi con noi il blues non lo ascolti mi son dovuto sposare, per poter andare a sentire il blues nei juke joints.

Ma forse a voi conviene andare a parlare con dei musicisti, da queste parti c'è pieno, Willy Foster, Eddie Cusic, Bill Wallace.

Ci sarebbe anche John Horton, solo è difficile che lo troviate, lui di giorno lavora, fa l'operatore sopra i bulldozer, di sera è sempre in giro a suonare quando qualcuno lo cerca non si riesce mai a trovarlo.

Non riesco a vedervi, I'm legally blind, do you know what I mean? dice Willy Foster. Ci vedo poco, dice, quasi niente.

E gli mancan le gambe. È su una sedia a rotelle e ha il telefono legato al collo con uno spago.

Io sono nato nel blues, vivo nel blues. C'è molta ignoranza, sul blues. Certuni dicono Il blues mi fa stare bene, stupidate, dice Willy Foster, il blues non ti fa stare bene.

Io lavoro da quando ho sette anni. Mia mamma raccoglieva il cotone nei campi. Sono figlio unico, non ho mai avuto nessuno con cui giocare. Se non hai nessuno con cui giocare, ti crescono ventiquattro rughe sulla tua faccia, dice Willy Foster, ti viene il blues.

Io a dieci anni lavoravo come un uomo, con quattro muli facevo il lavoro che fanno oggi con un trattore, quattro acri al giorno. Mangiavo solo del pane, avevo sempre fame.

Oggi mi invitano a suonare da tutte le parti, anche in Europa, anche in Nuova Zelanda.

Quando mi hanno chiesto di andare in Nuova Zelanda Va bene, gli ho detto, mi davano un sacco di soldi. Poi son tornato a casa, Vado in Nuova Zelanda, ho detto a Tommy, il ragazzo che mi aiuta con il giardino.

Tommy è lì con noi, è un negro di centoventi chili sui cinquant'anni con tutti i denti storti e un occhio mezzo chiuso che non si apre mai del tutto.

E mi ha chiesto, Tommy, E dov'è la Nuova Zelanda? In Giappone, gli ho detto. Chissà perché ero convinto che la Nuova Zelanda era una città del Giappone, ti ricordi Tommy? dice Willy Foster.

Invece non è, in Giappone, parlano in inglese, in Nuova Zelanda. Sono come noi, sono bravi, tre mesi, ci son stato, in Nuova Zelanda, a suonare il blues.

Suonano anche bene, solo son bianchi. Un bianco non può suonare il blues, può solo far finta. Mia moglie mi ha lasciato, nananà nananà, per il mio migliore amico, nananà nananà. Sentite?

Finto, dice Willy Foster, e si prende in mano la guancia Questo, dice, è il colore del blues.

È qualcosa nella tua testa, nel tuo cuore. Hai vergogna, ti viene da piangere, non hai da mangiare, stai male, non hai nessuno con cui giocare, allora ti viene il blues.

Io a dieci anni mi son rotto un dito, mi sono curato da solo. Mio babbo mi ha messo una stecca, è guarito da solo. Un bianco americano non ha mai provato niente del genere. Non ha mai provato tanto male, un bianco americano, dice Willy Foster.

Sudi come un porco, nei campi di cotone Cosa posso fare? pensi, non sai come fare, non sai dove andare, non hai nessuno con cui giocare, non hai nessuno con cui parlare, devi lavorare, non devi parlare.

A otto anni ho comprato la prima armonica, venticinque centesimi, ciò messo due settimane, per guadagnarli, mi ricordo ancora quando son tornato a casa, saltavo, dal tanto che ero contento, dice Willy Foster e gli suona il telefono che ha attaccato al collo Scusate, dice, e risponde Non posso parlare, dice al telefono, sto dando un'intervista a due... Da dove venite, dall'Egitto? A due egiziani, richiamami dopo.

Son stato dappertutto, dice Willy Foster, Europa, Australia, Nuova Zelanda, non sapevo neanche che c'era, la Nuova Zelanda, pensavo che era una città del Giappone. L'ho girata tutta, ciò messo tre mesi, sono simpatici, i neozelandesi, suonano anche bene, solo son bianchi, non van bene, suonare il blues.

Il blues non è una canzone, è un sentimento.

B.B. King lui lo sa, cos'è il blues, solo lui non lo esprime, io, esprimo il blues, dice Willy Foster, adesso devo andare, dice, compratemi un cd, per cortesia, quindici dollari.

Bill Wallace abita a Leland, poche miglia a est di Greenville, sulla highway sixty-one, l'abbiamo chiamato ha detto va bene, che ci aspettava.

Ci aspetta seduto davanti a casa con un blocco di carta gialla in mano e un bel sorriso tranquillo.

Che cos'è il blues? gli chiedo.

È tutto, mi dice, e mi dà questo blocco che ha in mano che sul primo foglio ha preparato una lista dei musicisti coi quali ha suonato, tutti nomi che non conosco nessuno, solo B.B. King alla fine.

Con quale di questi musicisti le è piaciuto di più, suonare? gli chiedo.

Con tutti, mi dice.

Fa fatica a parlare, nel gennaio del duemila gli è venuta una paresi, fa fatica a muovere la bocca, ha dovuto anche smettere di suonare, dopo la paresi che lui chiama The shock.

Eddie Cusic anche lui abita a Leland, solo non c'era, quando abbiamo telefonato. Tornerà verso le cinque, ci han detto, e allora dopo le cinque lo andiamo a cercare in questo quartiere nero di Leland che sembra un quartiere bianco, con le casette pulite, con le bandiere americane, con i prati perfetti, con le macchine lucide, con i negri che alle cinque e mezza son tutti lì che tagliano i prati.

Se non mi paghi, mi dice Eddie Cusic, non ti do l'intervista.

Va bene, gli dico io, arrivederci.

Andar verso Vicksburg da Greenville riprendiamo l'highway sixty-one, ripassiamo da Leland. A Leland c'è un altro museo che non facciamo in tempo a vederlo, il museo di Kermit la rana, quella del Muppet show.

Vicksburg è la prima città americana che vediamo che sembra fatta di mattoni, è la prima città del sud, tra quelle che vediamo, un posto dove nei ristoranti non c'è la zona fumatori e la zona non fumatori, nei ristoranti si può fumare, a Vicksburg, perlomeno nel ristorante dove andiamo a mangiare, il Burger Ville, di fronte all'ufficio del turismo.

L'ufficio del turismo si fanno in quattro, per trovarci qualcuno che ci parli del blues, qualche musicista che ci dica qualcosa.

L'impiegata fa cinque o sei telefonate, lei conta soprattutto su uno che lavora in un negozio di dischi e che suona anche la chitarra in un gruppo, dopo tre tentativi riesce a parlarci.

Però le dice, questo del negozio di dischi, che è meglio se non ci andiamo, a parlare con lui, che lui di blues non sa niente e le cose che suona son tutte diverse.

Alla fine ci mandano al Biscuit cafe, che c'è un ragazzo che ci lavora che ne sa, lui, di blues.

Questo ragazzo ci fa vedere una mappa che è uscita su una rivista, Living blues, si intitola, dove sono segnati dove abitano i musicisti blues che vivono in Mississippi.

Poi ci dice che se vogliamo saperne di più possiamo andare al negozio di dischi lì a Vicksburg, che c'è uno che ci lavora che suona anche in un gruppo che lui sa tutto, del blues.

L'unica cosa che riusciamo a sapere, la fotografa, riesce a saperlo, che tornare su verso Indianola il giorno dopo c'è un concerto di B.B. King con B.B. King che a mezzogiorno all'Holiday inn di Indianola incontra la stampa.

Sulla highway sixty-one, a nord di Vicksburg, c'è un posto che Shamàn, lo scultore di Cleveland, Mississippi, ci aveva consigliato di andare a vedere, Margaret's grocery, si chiama. Non ci aveva detto perché, Andate, ci aveva detto, andate a vederlo, e alla fine ci andiamo davvero.

La Margaret's grocery era un negozio di alimentari e una tabaccheria che visto da fuori sembra fatto col lego. È tutto di mattoni colorati di giallo di rosso di bianco, con delle forme strane che sembra che non sia finito, come una casa di lego lasciata a metà. Benvenuti ebrei o gentili chiunque voi siate, c'è scritto fuori con la vernice.

Ci apre una signora che ci saluta molto gentile e ci dice che lei è Margaret e che il reverendo suo marito si sta riposando Adesso ve lo vado a chiamare. Il negozio non funziona più, ci dice, adesso praticamente la grocery è la sede della chiesa fondata da suo marito, il reverendo Dennis. L'ha costruita lui con le sue mani, secondo un'architettura ispiratagli direttamente da Dio, aspettate un attimo che lo vado a chiamare.

Fai il bene o fai il male? chiede il reverendo Dennis alla fotografa quando salta fuori da dietro una tenda scarlatta Conosci la bibbia? Sei stata a Gerusalemme? Tutti gli anni? Vai in chiesa a Roma? Il papa vive a Roma, dice il reverendo Dennis alla fotografa quando vien fuori.

Lei è un artista? mi chiede Margaret intanto che suo marito interroga la fotografa se va in chiesa tutte le settimane.

Più che un artista, le dico io, un regista, scrivo dei dialoghi, son venuto qui a scriver del blues.

Ah, mi dice Margaret, c'è qui un libro francese, sul blues, e mi indica un libro in francese aperto su una pagina dove si parla del reverendo Dennis e della sua chiesa nella Margaret's grocery.

Dice, quel libro, che il reverendo Dennis è molto ospitale molto gentile un sant'uomo Solo, dice il francese che ha scritto il libro, c'è un argomento, che a parlargliene il reverendo Dennis si arrabbia comincia a imprecare perde il suo autocontrollo: il blues.

Dennis non lo sopporta, il blues, È la musica del diavolo, dice, io invece prego l'amore, amo Dio e gli uomini, leggo nel libro in francese intanto che Dennis dice alla fotografa che questo è il suo quartier generale, che qui c'è tutta la sua reputazione e le indica i libri i giornali le fotocopie appese che parlan di lui.

Vengono da tutto il mondo, a trovarmi, dal Messico, dalla Russia, dal Giappone, dalla Francia, dalla Germania, questo è il mio quartier generale, e tu, dice rivolto a me, da dove vieni?
Dall'Italia, gli dico.
Ci son stato, in Italia.

Conosci il fiume Reno? mi dice il reverendo Dennis, Conosci la valle del Reno? Io ci son stato, mi dice, sul Reno. Son stato in Sud Africa in guerra, poi sono andato in Spagna e poi son finito dalle tue parti nella valle del Reno. Conosci la valle del Reno? Si stava bene in Sud Africa, dice.

Il Reno è un grande fiume che parte dall'Inghilterra passa per la Francia per la Germania per l'Ungheria, io ci son stato, si stava bene in Sud Africa, io spero che non ci sia mai la guerra, io prego che non ci sia mai la guerra, c'è la guerra, in Italia? mi chiede il reverendo Dennis che non riesco a rispondergli mi fa un po' paura.

Io parlo con tutti da tutto il mondo, vengono tutti qua nel quartier generale, io son stato dappertutto, anche in Giappone e in Sud Africa, io conosco tutti i posti solo a Roma, mi dice, non ci son stato. Mi piacerebbe, andare a Roma dal papa, solo ormai sono vecchio, mi dice Dennis, io parlo con tutti da tutto il mondo, musicisti, ballerini.

Noi preghiamo stiamo bene questa è tutta la mia reputazione, mi dice Dennis e mi mette in mano un articolo The dream of a ridiculous man.

The dream of a ridiculous man, mi dice, That's me, questa è tutta la mia reputazione, mi dice, tu cosa fai, scrivi?

Il sindaco di Vicksburg è un uomo bravo, scrivilo. David R. Kean, il sindaco di Vicksburg, lui è un uomo bravo, scrivilo, se è vero che scrivi.

Milioni di storie, avrei da raccontarti, dice il reverendo Dennis, se scrivi, milioni di storie, dice, solo adesso son stanco vado a letto, dice, e sparisce dietro alla tenda sua moglie ci accompagna alla macchina Mi piacerebbe che ci mandaste una cartolina, ci dice.

C'è una canzone di Bob Dylan, si intitola Highway 61 revisited, e Dylan in quella canzone dice che c'è un po' di tutto, sull'highway sixty-one.

C'è pieno di gente, all'Holiday inn di Indianola verso mezzogiorno, giornalisti fotografi televisioni, c'è anche una fotografa che si chiama Annie Leibovitz che la fotografa dice che è una fotografa molto famosa, forse la fotografa più famosa d'America ha fatto anche le foto di John Lennon e di sua moglie abbracciati nudi nel letto.

Io non l'avevo mai sentita nominare, non so niente di niente, di fotografia, di John Lennon, di blues, di cinema, di Mississippi, però la Leibovitz si vede dev'essere davvero importante, ha due assistenti, uno le tiene le macchine fotografiche, una il termo del caffè e i biglietti da visita.

Dopo a un certo momento un giornalista le si avvicina Ehy, Annie, le dice, come stai?

Lei fa una faccia come per dire Non mi ricordo chi sei.

Sono Pinco Pallino, dell'Herald qualcosa, le dice lui, come mai da queste parti? le chiede.

Passavo di qui, gli dice Annie Leibovitz, poi Secondo te, come mai sono qui? gli chiede.

Oh, sì, dice Pinco Pallo, certo, che stupido sono, ma aspetta che ti do il mio biglietto da visita così la prossima volta ti ricordi di me.

Grazie, dice Annie Leibovitz, e poi va dalla sua assistente, le dà il biglietto da visita di Pinco Pallo Vai da quello lì, le dice, e gli dài uno dei miei biglietti da visita.

Quella che le porta il termo, a Annie Leibovitz, scrive. Loro sembra che stanno facendo un libro sul blues e Annie Leibovitz fa le fotografie mentre lei, questa bionda con le trecce con gli occhi azzurri la canotta nera la gonna verde scrive, porta i termo, i biglietti da visita e scrive, anche, si vede, è lì col taccuino che prende gli appunti.

La fotografa dice che anch'io, dovrei portarle il termo, dato che io scrivo e lei fotografa allora dovrei portarle il termo e i biglietti da visita, dice la fotografa.

Solo, i biglietti da visita lei non ce li ha, il termo non ha neanche il termo e poi anche se ce l'aveva si scordava, che io glielo portavo.

La presenza di Annie Leibovitz è il fatto più importante della conferenza stampa di B.B. King, ci sono anche due inviati dei giornali locali che le fanno al volo un'intervista Come mai da queste parti? le chiedono tutti e due.

Secondo te, come mai sono da queste parti? gli risponde a tutti e due Annie Leibovitz e tutt'e due uno dopo l'altro loro le dan da firmare una copia del giornale locale con la sua firma autografa e poi girano per la hall dell'Holiday inn di Indianola tutti orgogliosi li fanno vedere a tutti quelli che conoscono, questi autografi strappati alla fotografa più famosa d'America, Annie Leibovitz, che ha fotografato anche Yoko Ono e suo marito nudi abbracciati nel letto.

Il resto, la conferenza stampa di B.B. King, lo dico contro il mio interesse, è un po' una puttanata.

Praticamente lui dice, B.B. King, che lui è contento di tornare a casa nel posto dove è cresciuto, Indianola, Mississippi.

Dice che lui è stato un padre cattivo, ha avuto quindici figli tre dei quali handicappati, solo lui era sempre in giro non li ha mai molto considerati, i suoi figli.

Però adesso, dice, voglio dedicarmi ai bambini di tutto il mondo far dei concerti per loro per tutti i bambini, non solo per i miei figli, per qualsiasi bambino che ha bisogno che qualcuno gli dica Hallo.

Quando gli chiedono se sa dove vanno a finire i suoi soldi di questo concerto di beneficenza dedicato ai bambini lui dice che non lo sa, che dovrebbe informarsi.

E quando alla fine si avvicinano alla sua scrivania due bambini per fargli firmare la maglietta che hanno comprato quindici dollari Hallo, gli dice B.B. King ai bambini tra gli evviva dei convenuti.

Uccidimi un figlio, ha detto Dio a Abramo, e Abramo gli ha detto Mi devi costringere.

Dio ha detto No, puoi far quello che vuoi, ma la prossima volta che mi vedi è meglio che ti metti a correre.

Dove vuoi che te lo uccida? ha detto Abramo.

Sull'highway sixty-one, gli ha detto Dio.

L'ha scritto Bob Dylan.

Il concerto è il primo concerto di blues qui in Mississippi che ci sono almeno mille persone. E è il primo concerto di blues che vedo qui in Mississippi che non ci sono solo dei negri, a vederlo, ci sono anche dei bianchi. C'è anche quel ragazzo rosso con la maglietta dei Boston Celtics che ho visto a Coffeeville, adesso provo a fare un dialogo anche con lui.

B.B. King, quando comincia a suonare, partono i fuochi d'artificio. E durante il concerto la prima metà del concerto mentre che suonano continuano a scoppiare dei gran fuochi d'artificio tra gli evviva dei convenuti.

Sono croato, mi dice quel ragazzo con la maglia dei Celtics che era l'unico bianco al festival blues di Coffeeville, Sono croato mi chiamo Tibor Mikuška, ho vissuto due anni qui per studiare adesso sono in vacanza poi torno in Croazia.

Il festival blues di Coffeeville, mi dice Tibor Mikuška, una grande esperienza.

A Georgia Sam gli sanguinava il naso, l'assistenza sociale non gli dava i vestiti.

Dove posso andare? ha chiesto a Howard il povero.

Howard ha detto C'è solo un posto, che conosco.

Dimmi, ha detto Sam, presto, che devo scappare.

Il vecchio Howard ha puntato la pistola e ha detto In questa direzione giù per l'highway sixty-one.

L'ha scritto Bob Dylan.

A un certo punto B.B. King chiama sul palco dei bambini, prima fino a quattro anni, poi dai quattro agli otto, poi tra gli otto e i quattordici, poi sopra i quattordici. Sette bianchi di qua, sette neri di là, poi li fa ballare. Dopo fa decidere al pubblico, chi ha ballato meglio. Chi ha ballato meglio, gli dà cinque dollari. Chi ha ballato peggio, un dollaro a testa.

Alla fine del concerto, mi fermo a segnarmi una cosa, mi si avvicina Andrew, vent'anni, leader dei Normal somewhere, sapere se voglio intervistarlo.

B.B. King io lo rispetto, mi dice Andrew, però è finito. È il passato, B.B. King, noi, siamo il futuro del blues. Venite a trovarci, a Cleveland, Mississippi, noi stiamo a Cleveland, Mississippi, i Normal somewhere. Se venite domani venite dopo l'una che prima devo andare a messa. Mia mamma mi stressa, con queste messe, dice Andrew, leader dei Normal somewhere.

Ho quaranta stringhe per le scarpe bianche rosse e blu, e mille telefoni che non suonano, ha detto Mack the Finger a Louis the King, dove posso sbarazzarmi di questa roba?

Lasciami pensare, ha detto Louis the King, poi ha detto Sì, forse si può fare, porta tutto sull'highway sixty-one.

L'ha scritto Bob Dylan.

Nat Sharp ha trent'anni, vive in una casa di legno e fa il magazziniere. Il blues, dice Nat Sharp, se tu vivessi qui lo sapresti perché, la gente canta il blues. Eravamo segregati, siamo ancora segregati. Ma è musica deprimente, io non ne voglio sapere.

La mia donna mi ha lasciato per il mio migliore amico, non ho bisogno, io, di questa roba qua la mia donna m'ha lasciato per il mio migliore amico.

Il rap lo ascolto tutti i giorni, il rap parla di me, io non posso lavorare senza sentire il rap, ma questa cosa qua, la mia donna m'ha lasciato per il mio migliore amico, io non la posso sentire, c'è troppo caldo.

C'è un'estate di otto mesi, comincia in marzo, finisce in settembre, figurati se ascolto la mia donna mi ha lasciato per il mio migliore amico, dice Nat Sharp, magazziniere, intanto che beve una birra sulla veranda della sua casa bianca.

Primo intervallo
Notturni only

In aereo chiedo alla fotografa se a lei non sembra assurdo, mandare a fare un film su un mondo che non c'è più due che gli hai fatto credere che quel mondo c'era ancora, mi aspetto che la fotografa mi dia ragione mi testimoni la sua solidarietà, la fotografa mi dice che lei fa delle fotografie, non dei film, e che aspettarsi qualcosa, lei è già da un pezzo che da questo mestiere non si aspetta più niente.

Ci rimango male, avevo tutta una teoria sul ballo liscio e l'Emilia-Romagna che ero già pronto a tirare fuori e invece niente, non parlo più fino a Milano Malpensa all'uscita della dogana la fotografa mi indica a sinistra e mi dice che io devo andare di là e prendere il treno per i notturni e ci salutiamo con un Arrivederci.

Seguo le indicazioni, scendo una scala mobile, arrivo a un cunicolo con le pareti di cemento armato con un rivestimento granulato pitturato di bianco, sbuco in un piccolo garage sotterraneo con un unico binario con un trenino minuscolo con tre vagoni con scritto, sul fianco, Malpensa-Sfondo, Notturni only.

Monto sul treno, non c'è nessuno, nel mio scompartimento, mi siedo, faccio un pacchetto dei biglietti e delle guide e del dischetto, metto la borsa sul sedile davanti stendo le gambe mi addormento subito.

Ogni tanto quando il treno si ferma mi sveglio, la prima volta sotto il finestrino c'è un campo da calcio a schiena d'asino tutto illuminato con quattro giocatori che sembra che giocano una partita a tutto campo, due da una parte e due dall'altra, la seconda volta all'altezza del vetro tre metri più in là dei bigonci di plastica rossi e blu stesi a asciugare su un filo per i panni, l'ultima volta sono in una stazione sento la voce di un altoparlante che dice Sfondo, stazione di Sfondo.

Mi alzo, raccolgo le cose, intanto che raccolgo le cose si spegne la luce dentro nello scompartimento corro per scendere che mi viene paura che mi lascian sul treno.

Scendo sul primo binario, mi guardo intorno, vedo una luce più avanti, a sinistra, mi incammino, quando arrivo c'è un bar con un cartello Riservato ai ferrovieri. Si vede anche la barista, da una finestra aperta, ha la divisa da ferroviera e sta seduta immobile dietro al banco sul suo sgabello con gli occhi persi nel vuoto.

Torno indietro, attraverso l'androne, esco nel piazzale della stazione, un grande viale deserto parte da una piazza rotonda deserta con un obelisco nel mezzo di cui non si riesce a vedere la cima per via di una nebbia leggera che a pochi metri da terra si addensa. Mi avvicino all'obelisco, leggo la scritta sul basamento Al contributo misconosciuto del notturno ignoto e malpagato.

Dietro il basamento, in fondo al piazzale, sulla sinistra, vedo che brilla una luce, mi incammino, è la pubblicità di una birra. C'è una scaletta che scende, la prendo, giro a sinistra intorno all'edificio, sulla mia destra dei campi di bocce, sulla sinistra l'ingresso di un bar. Faccio per entrare, vedo il cartello, Ingresso riservato ai ferrovieri.

Torno indietro, rifaccio le scale, entro in stazione, esco sul primo binario, guardo a destra, niente, guardo a sinistra, c'è l'ufficio del capostazione. Mi avvicino, busso, Avanti, si sente da dentro.

Entro, dietro una scrivania c'è il capostazione seduto Buonasera, gli dico, io sono appena arrivato da Milano Malpensa non so dove andare.

Lei che numero ha? mi chiede il capostazione.

Duecentoventuno.

Vada nell'androne della stazione, duecentoventuno, e aspetti.

Esco dall'ufficio del capostazione sul primo binario, entro nell'androne della stazione, mi accorgo che anche l'androne della stazione c'è la stessa nebbia di fuori, controllo le porte, son chiuse, mi metto su una panchina di legno, metto la borsa sotto la testa, mi stendo, mi stringo forte nell'impermeabile e provo a dormire.

Mi sveglia un grido ripetuto Raccolta dischetti, raccolta dischetti, raccolta dischetti. Alzo la testa, c'è un uomo con una pettorina gialla e verde, in mezzo all'androne Distribuzione biglietti, raccolta dischetti, raccolta dischetti continua a gridare come se fosse in una piazza affollata invece è nell'androne deserto ci siam solo io e lui.

Mi alzo, prendo il pacco da dentro la borsa, mi avvicino, faccio per darglielo Aspetti, mi dice, lei che numero ha?

Duecentoventuno, gli dico.

Duecentoventuno duecentoventuno duecentoventuno... c'è un telefax per lei, mi dice, e mi dà un foglio Vada al Ferrotel, dice, ha dodici ore di disposizione.

Ferrotel? gli chiedo.

Nel piazzale, mi fa segno, l'edificio sulla destra, si fermi alla reception a rispondere, dice indicandomi il telefax e poi mi gira le spalle ricomincia a girare in tondo a gridare Raccolta dischetti, raccolta dischetti, raccolta dischetti.

Il Ferrotel è un edificio a sei piani con le finestre tutte chiuse e con la luce che non filtra di fuori.

Alla reception c'è un ferroviere magro, basso, i baffi grigi, una penna bic blu infilata nell'orecchio destro Buongiorno, mi dice, lei che numero ha?

Duecentoventuno, gli dico, ho qualche ora di disposizione, dovrei dormir qui.

Certo, mi dice lui, e comincia a trafficare coi documenti per assegnarmi una stanza e intanto io leggo il telefax Urgente, c'è scritto in alto a lettere maiuscole, e sotto il testo: Tahar Ben Jelloun, l'hai visto?

Può rispondere a questo telefax? chiedo al ferroviere.

Certo, mi dice lui.

Ecco, allora gli scriva No.

Nient'altro?

No, nient'altro.

Va bene.

Salgo al secondo piano, entro nella mia camera, una cameretta minuscola coi mobili azzurri smaltati e il letto incastrato tra muro e finestra e senza televisione.

Mi spoglio, mi metto a letto, mi addormento subito, dopo un po' mi sveglia il telefono C'è un telefax per lei, mi dice il ferroviere della reception, urgente. Glielo leggo: E quell'inglese che ha scritto tre o quattro film, Paul Bowles, non l'hai visto? Cosa devo rispondere? mi chiede.

Risponda No, non l'ho visto.

Nient'altro?
No, nient'altro.

Mi riaddormento, dopo un po' mi sveglia ancora il telefono Ce n'è un altro, mi dice il ferroviere, glielo leggo: E quell'italiano, Domizio Mori, ha scritto un film, Cupole profane, non l'hai visto, Cupole profane?
No, non l'ho visto.

Non so quanto tempo è passato quando suona ancora il telefono. Ce n'è uno nuovo. Be', dice, Le voci di Marrakech di Canetti l'avrai visto.
No, gli risponda, non l'ho visto.

Questa volta non riesco a riaddormentarmi, faccio una doccia, mi rivesto, preparo la roba, faccio il letto, mi stendo sul letto rifatto dopo cinque minuti suona il telefono E Marrakech express, di Salvatores, l'hai visto?
No, non l'ho visto.

Altri dieci minuti, telefono, È arrivato un altro telefax, però questo non serve risposta. Il testo fa: È lo stesso, c'è uno che è scappato, è già tutto prenotato, non c'è nessun altro disponibile, non c'è alternativa, fatti trovare nella hall della stazione alle tre e quaranta. Non è molto ortodosso, mi dice il ferroviere, ma io Marrakech express l'ho visto, se vuole glielo racconto.
Grazie, gli dico, e prendo su la mia roba, scendo nella hall Grazie, gli dico al ferroviere, è molto gentile.
Io non sono gentile, mi dice, son scrupoloso, prego si accomodi adesso le spiego, mi dice, e mi indica una poltroncina blu proprio davanti alla sua scrivania.

Io, in questi casi quando mandano in giro qualcuno senza la dovuta preparazione ci resto male, dice il ferroviere. Forse che Cinecittà si comportan così? le chiederei se non conoscessimo entrambi già la risposta. No, non si comportan così, e allora noi chi siamo, i figli della serva?

Eh, dico io, no, non siamo, i figli della serva.

Bravo, dice lui, non li siamo.

Ma, scusi sa, dico io.

Prego, mi dice.

Io torno appena dalla lavorazione di un film mi han mandato in Mississippi a parlare del blues, io non sapevo niente né del Mississippi né del blues e nessuno se ne è preoccupato, come mai adesso tutta questa agitazione che non so niente del Marocco?

Era il primo film quello del Mississippi?

Il primo.

Be', per i primi film prima di tutto lei avrà avuto con lei qualcuno della direzione a dirigerla.

Avevo una fotografa.

Lei pensava che fosse una fotografa, ma se vedesse le foto che ha scattato, ammesso che ne abbia scattate, si accorgerebbe che non era una vera fotografa era una dirigente dell'Ente Nazionale sotto falso nome che era lì apposta per dirigerla nei suoi primi passi nel mondo della Cinematografia Popolare.

E poi per il primo film bisogna tener conto che è la prima volta. La prima volta si è più eccitati, si è più attenti, dopo col passar del tempo subentra la distrazione, la sbadataggine, la meccanicità, e come lei sa la meccanicità è la principale nemica del cinema popolare bisogna tener gli occhi aperti, come quelli di Cinecittà, anzi di più, di quelli di Cinecittà.

Mi racconta Marrakech express, che ci son quattro amici che prima in gioventù erano molto amici che ne han fatte tante insieme e poi si son persi di vista che la vita è così, e però poi a un bel momento c'è un loro amico che ha dei problemi che è in galera in Marocco per fatti di droga, se non ricorda male, e allora loro qualcuno un po' obtorto collo partono tutti insieme per il Marocco per salvare l'amico subito litigano Non fate le briciole, dicono in macchina, poi quando son già in Marocco prendono una buca perdono la marmitta e c'è una partita di calcio contro dei marocchini poi vanno al bagno turco Noi ci ha rovinati la religione cattolica, dopo mangian molto speziato e dopo gli sembra che l'amico lo salvano ma non è proprio sicuro comunque il succo del film, secondo lui, che se si fa un viaggio lungo dopo di solito si torna indietro più amici di prima che se ne vorrebbe fare subito un altro.

Non è un gran film, mi dice il ferroviere alla fine come se si scusasse.
Eh, non sembrava, gli dico io.
Vuole un caffè? mi dice lui, e mi indica il grande orologio dietro le sue spalle Ormai son le tre passate, mi dice, tra poco deve partire.

Grazie, gli dico io, volentieri, e restiamo lì ancora cinque minuti a bere un caffè ci guardiamo tranquilli in un'estraneità piena di attenzione e di buoni odori quelle cose che posson succedere solo al mattino.

Grazie per il caffè e per il riassunto del film, gli dico alla fine.
Ma si figuri, mi dice lui.

Alle tre e trentacinque sono nell'androne della stazione in mezzo c'è un uomo con una pettorina gialla e verde che sta fumando, appena mi vede butta via la sigaretta comincia a camminare in tondo a gridare Raccolta dischetti, raccolta dischetti, raccolta dischetti.

Distribuzione biglietti, raccolta dischetti, raccolta dischetti, grida come se fosse in una piazza affollata invece è nell'androne deserto ci siamo solo io e lui.

Mi avvicino, gli allungo il pacco Aspetti, mi dice, lei che numero ha?

Duecentoventuno.

Duecentoventuno duecentoventuno duecentoventuno... sì, dice, prego, mi dà il pacco nuovo, prende il vecchio Secondo binario, dice, tra venticinque minuti.

Dormo tutto il viaggio fino a Milano Malpensa, cerco il mio volo, faccio il check-in, quando ho fatto il check-in nella sala d'imbarco comincio a pensare che chissà cosa scrivo, di un posto che non ne so niente senza neanche una finta fotografa che almeno è un'esperta che mi insegna le cose.

Però forse poi basta cominciare, mi vien da pensare.

In fondo scrivere i film popolari è come cantare delle canzoni, e cantare delle canzoni è come correre giù per una discesa che quando sei partito poi non ti puoi più fermare poi mi vien da pensare che questo è il primo film popolare che scrivo da solo comincio già a far delle teorie Son proprio ridicolo, mi vien da pensare, e poi chiamano il volo è venuto il momento di cominciare.

Secondo film
Mon ami mon ami, Ali Babà Ali Babà, les babouches les babouches

Sull'aereo distribuivano un quotidiano marocchino di lingua francese, l'Opinion, si chiamava, e nella pagina sportiva si parlava dell'imminente incontro per le qualificazioni della coppa d'Africa tra Tunisia e Marocco.

Si diceva che per fortuna il Marocco del nuovo allenatore portoghese Coelho veniva da una serie impressionante di sconfitte, mentre la Tunisia dell'allenatore italiano Franco Scoglio aveva ottenuto, nel recente giro europeo di amichevoli, una serie di vittorie che hanno galvanizzato l'ambiente.

Per fortuna loro in questo periodo giocano bene sono favoriti noi invece giochiamo male nessuno è disposto a puntare un dirham su di noi, diceva l'Opinion, molto bene, diceva, perché i leoni dell'Atlante storicamente quando sono alle strette tirano fuori il carattere.

Con la Royal Air Maroc si vola bene, partono in orario, sono gentili, da mangiare ti danno uno stufato di carne che si chiama tajine, da leggere ti danno questi giornali in francese interessantissimi e se ti metti nelle ultime file puoi anche fumare una sigarettina che chiudono un occhio.

A Marrakech arrivo alle sette di sera ora locale, prendo un tassì fino all'albergo Quant'è? chiedo all'autista.
Cento dirham va bene? mi chiede.
Va bene, gli dico, e lui scende dal suo tassì mi apre la portiera Merci mon ami, aurevoir mon ami.

La camera cinquecentootto dell'albergo El Saadi di Marrakech come metri quadrati dev'essere circa venti volte la camera del Ferrotel di Sfondo, in Marocco son proprio gentili, l'ufficio del turismo di Marrakech o le Ferrovie dello Stato o l'Ente Nazionale della Cinematografia Popolare quelli che pagano.

Io la piazza la chiamavo La place du marché, ho chiesto in albergo, mi son fatto dare una cartina place Jamaa el-fna, c'è scritto, e poi c'è la traduzione La piazza dei trapassati.

La cartina non serve, è in caratteri romani i cartelli son tutti in caratteri arabi chiedo tre volte alla fine la trovo non è distante, un quarto d'ora, a piedi.

Quando arrivo dalla piazza si alzano dei gran vapori, guardo, ci sono dei ristoranti che fan da mangiare io fame non ho fame, la piazza ho visto dov'è, l'albergo pensare la gran stanza d'albergo che mi aspetta io torno in albergo.

Nella mia stanza c'è anche la televisione satellitare fanno vedere la partita Inter-Parma la prima partita di campionato che vedo quest'anno zero a zero ma una gran bella partita. Finita la partita non ho sonno m'è venuta fame torno sulla piazza non sono ancora arrivato mi si avvicina un marocchino Buongiorno, mi dice, come sta?
Eh, gli dico io, non c'è male.

Lui si chiama Mohammed, è di qua, conosce benissimo

tutti e se glielo permetto mi può accompagnare. E io, non so come mai, glielo permetto.

Bene, mi dice. Ma lei, mi chiede, cosa vuol fare?
Io avrei fame, gli dico.
Benissimo, venga, le faccio vedere.

Ci son questi ristoranti mobili, li montano alle cinque del pomeriggio li smontano a notte inoltrata qui lei può mangiare cous cous, tajine, brochette o merguez, che sono dei salamini piccoli che le consiglio, con dieci dirham, ha già cenato, mi dice Mohammed e io li prendo, me li faccio incartare, li mangio intanto che con Mohammed facciamo un giro della piazza una passeggiata.

Vuol entrar nel mercato? mi chiede lui.
No, domani, gli dico, e intanto ci passa di fianco una ragazza vistosa Mohammed mi guarda, sorride Gazelles, mi dice, da noi ci sono molte gazelles.
Gazelles? gli chiedo.
Le donne, mi dice, le gazelles sono le donne. Vuol venire a casa mia a prendere un tè? mi chiede, Non è lontano, mi dice, a piedi dieci minuti.
E io, non so come mai, ci vado davvero.

Nell'andare passiamo davanti a un locale, La place des poissons, si chiama, Mohammed mi guarda, sorride, si ferma, Sa cosa sono i poissons? mi chiede.
No, non lo so.
Le donne, mi dice, i poissons sono le donne. Se qualcuno vuole una donna, mi dice, in questo posto la trova senz'altro.
Bene, gli dico, e casa sua dov'è?
Di qua, mi dice, non è lontana.
E se adesso mi porta in un vicolo e mi sbudella? mi vien da pensare.

Mohammed abita in una stanza tre metri per due al primo piano di una casa dove al pianterreno ci sono cucina e bagno comuni, una stanza dipinta di giallo un po' malamente, con un letto un tavolo un fornellino per il gas un computer quattro paia di scarpe un televisore un videoregistratore delle videocassette dei libri in inglese una cartina del mondo appesa al muro con due puntine attaccate, una rossa all'altezza di Marrakech, una verde in America in alto e sopra la cartina una fila di cartoline illustrate di Portland, Maine.

Quando sale dalla cucina con un bricco di tè alla menta, vede che guardo la cartina Guardi, mi dice Mohammed, qui a Marrakech vengono da tutte le parti del mondo io invece andrei via.

Per il momento faccio questi servizi di trovare quello che serve agli amici, mi dice, e intanto aspetto i documenti per andare da una mia amica che vive là in alto in America in un posto che chiamano il Maine.

Versa il tè, stiamo lì a bere in un silenzio carico di un'attenzione un po' interessata alla fine Va bene, mi dice lui dopo un po', mi sembra che a lei le gazelles non le interessano, io in ogni caso le lascio il numero del mio cellulare, non si sa mai, se cambia parere mi chiama.

Da casa di Mohammed all'albergo il tassì ci mette più o meno il tempo che ci ha messo dall'aeroporto, all'albergo, solo da casa di Mohammed all'albergo diciotto dirham, spendo, invece di cento, adesso capisco perché l'autista mi diceva Mon ami mon ami.

Il mattino dopo, alle otto, nella libreria El Ghazali, in un angolo della piazza dei trapassati, compro due guide di Marrakech, una in italiano, una in francese, e un quaderno arabo con i quadratini piccolissimi che servono a loro per scrivere i loro caratteri e la table de multiplication stampata in copertina.

Mi siedo in un bar all'aperto, in camicia e con una giacca leggera, si sta benissimo, mi siedo lì mi metto a guardare la guida Paolo, sento che mi chiamano dopo neanche un minuto, alzo la testa, Monica.

Che fine hai fatto? mi chiede Monica detta anche Ambra per una certa somiglianza fisica con Ambra Angiolini, una soubrette della televisione italiana di qualche anno fa, Che fine hai fatto, che sono dei mesi che non ti si vede?

Le spiego che per un po' stavo sempre in casa e che adesso ho cambiato mestiere che lavoro per un'agenzia che raccoglie le voci ma non so se mi tengono.

Mi chiede dei miei film, le dico che ho smesso, che mi ha chiamato uno che lavorava nella raccolta di dialoghi, abbiamo parlato, mi sono convinto che raccogliere i dialoghi è meglio è più onesto non devi inventare poi ci pensano loro, casomai, a rielaborare.

Meno male, mi dice Monica.
Perché meno male? le chiedo.
Eh, mi dice, io, una cosa che non avrei mai voluto, finire dentro uno dei tuoi film.

Mi presenta Andrea, il suo amico, hanno fatto venti giorni di ferie in Marocco Marrakech è l'ultima tappa oggi prendono un treno vanno a Casablanca domani in aereo tornano indietro a Bologna.

Hanno girato tutto il Marocco son stati bene, hanno fatto anche il deserto con una guida e con due cammelli ma quasi sempre a piedi, sul cammello potevan salire soltanto quando lo diceva la guida lo diceva molto raramente non si capiva il perché.

Mangiare, dice Monica, abbiam mangiato bene, solo abbiam mangiato un po' le stesse cose dappertutto, che qua in Marocco hanno solo quattro piatti: tajine, cous cous, merguez e brochette, buoni, che discorsi, però dopo quindici giorni ti vien voglia magari di un piatto di pisarèi, dice Monica che lei è di Piacenza di origine e intanto Gazelle, le dice un marocchino quando le passa vicino.

Poi questa cosa, dice Monica, che quando ti vedono che sei occidentale cominciano a offrirsi di accompagnarti, a dirti Gazelle, quante volte m'han detto gazelle? chiede a Andrea.

Eh, dice Andrea, molte volte.

Poisson, le chiedo io, non te l'han mai detto?

Poisson? mi dice.

Eh, le dico, poisson.

No, dice Monica, non me l'han mai detto.

Ci sediamo in un bar all'aperto che dà sulla piazza, loro prendono un caffè io prendo un tè alla menta Io non ne posso più, dice Andrea, di tè alla menta.

Non ti piace?

No no, mi piace, solo che là nel deserto, la guida aveva preso su ottanta litri d'acqua quando abbiam fatto per bere la prima volta Be', ci ha chiesto, la bevete così senza medicine?

Credeva che ci eravamo portati dei disinfettanti invece non ne avevamo, l'unica cosa che abbiamo bevuto là nel deserto è stato il tè alla menta quando lo preparava la guida io non ne posso più, dice Andrea, di tè alla menta.

Ci alziamo per salutarci Ma voi, gli chiedo, dopo questo viaggio, vi sembra di essere più amici di prima?

Mi guardano, si guardano, Noi adesso tra un po' ci sposiamo, mi dice Monica, Ah, dico io, ho capito, e ci salutiamo, li vedo che si incamminano a piedi verso la stazione, le loro scarpe da ginnastica di marca francese, le loro braghe corte azzurro scuro, le loro magliette blu che sembran stranissime, nel colore della piazza che si vede dal mio tavolino dove resto a finire il mio tè e dove poi dovrei ricominciare a studiare le guide.

Solo, pensare alla stanza d'albergo mia così bella che sta là inutilizzata a soli quindici minuti a piedi, dopo che ho finito il tè mi prendo su le mie guide le vado a studiare nella stanza d'albergo così mi riposo.

Alla reception mi danno un telefax E i rumori? c'è scritto, E gli odori? E i sapori? E i colori?

La televisione, al mattino, ci si stanca subito, e le guide, l'unica cosa che leggo che mi può servire, che per gli acquisti bisogna contrattare e discutere il prezzo che è la cultura araba che quasi lo impone poi dopo son stanco, guardo fuori, piove, mi metto a dormire mi sveglio dopo due ore bello riposato son pronto per entrar nel mercato.

Mon ami mon ami, Ali Babà Ali Babà, les babouches les babouches, les épices les épices, dicono i commercianti quando ti vedono che sei occidentale che passi davanti alle loro botteghe strapiene di roba, Berèk berèk, dicono quelli che passan con gli asini e con i carretti che chiedono spazio, Français? Español? English? Sprechen Sie Deutsch? chiedono i ragazzini quando ti vedono che sei occidentale.

Mi fermo in una bottega che vendono delle borse, mi piacerebbe comprare una borsa con la tracolla Quanto costa, questa borsa?

Quattrocentoventi.

Quattrocentoventi è un po' troppo, gli dico.

No no, mi dice, quattrocentoventi prix marocain non si discute non si contratta.

A me hanno detto che in Marocco bisogna sempre contrattare, gli dico.

D'accordo, mi dice lui, facciamo quattrocento.

Quattrocento e quattrocentoventi, gli dico, è la stessa cosa. Io poi ho cambiato pochi soldi non so neanche se ce li ho, quattrocento dirham, gli dico.

D'accordo, mi dice lui, tu mi dici come un fratello che non hai molti soldi, io sono disposto a farti un prezzo anche inferiore al prix marocain, d'accordo, ti ho già fatto un prix marocain, non un prix touristique, se venivi accompagnato da qualcuno dovevo calcolare la commissione per lui ti dovevo fare un prix touristique invece sei da solo ti ho fatto un prix marocain tu mi dici come un fratello che non hai molti soldi, d'accordo, te lo abbasso posso arrivare a trecentocinquanta, mi dice.

No no, gli dico io, è troppo.

D'accordo, mi dice lui, la borsa che hai scelto è cucita a mano, guarda le cuciture, guarda che bella pelle robusta, guarda le finiture, se vuoi ne ho delle altre che costano meno, guarda questa, mi dice, e ne prende da un angolo una tutta impolverata, costa centottanta, prix marocain, d'accordo, ma questa, vedi, è cucita a macchina, poi vedi qua, dice, e indica due ganci metallici un po' arrugginiti, questi si rompono subito, non ti conviene, mi dice, ti conviene comprare quella da trecentocinquanta.

Guarda, te la lascio a trecento, mi hai detto che hai pochi soldi come un fratello, d'accordo, te la lascio a trecento dirham.
Va bene, gli dico, ci penso. Faccio un giro, gli dico, dopo ritorno ti dico qualcosa.
Duecentocinquanta?
Affare fatto.

Mon ami mon ami, Ali Babà Ali Babà, les babouches les babouches, les épices les épices.

Sulla piazza ci sono i venditori di acqua vestiti di rosso e di giallo con i cappelli sgargianti i campanellini, ci sono gli ammaestratori di scimmie con le loro gabbie le loro scimmiette, ci sono gli indovini seduti per terra con i libri e le carte per strologare il futuro, ci sono gli incantatori di serpenti con i loro flauti e i loro serpenti, ci sono i suonatori con i loro tamburi le loro trombette, ci sono i venditori di frutta soprattutto le arance, il succo d'arance è la bevanda tradizionale di Marrakech.

Mon ami, mon ami, tu ieri mattina m'avevi promesso.
No no, io ieri mattina non ero ancora arrivato.

Dopo che ha smesso di piovere la piazza si riempie di ragazzi con le loro cassette per pulire le scarpe, dentro le cassette hanno le spazzole il lucido le spugne le arance, per pulire una scarpa fanno quattro passate, la prima con la spazzola a secco per togliere il fango, la seconda con il succo d'arancia non so bene il motivo, la terza con il lucido per lucidare, la quarta con la spugna e lo sputo per farle brillare Deve brillare, dicono prima di fare l'ultimo giro, Ha brillato, dicono dopo quando hanno finito.

Faccio un giro largo, le biciclette e i motorini parcheggiati ordinati, i negozi che dàn sulla piazza che a me sembrano strani, uno grande con un banco di scarpe uno di ceramiche e uno di carne, i venditori di lumache con le lumache vive che fanno impressione, gli indovini seduti per terra sui loro tappeti faccio un giro largo poi torno in albergo per via che non trovo più il quaderno con gli appunti che ho preso non vorrei averlo lasciato in albergo, anzi, vorrei, averlo lasciato in albergo.

C'è un odore che sembra di essere al mare in Versilia, ci sono dei viali di aranci con le arance mature, nell'albergo quando ci arrivo ci sono i turisti che fanno il bagno in piscina all'aperto.

È talmente elegante, la mia stanza d'albergo, è talmente lussuosa, è talmente grande talmente pulita talmente ordinata che dopo un'ora neanche sono già stanco del lusso della mia stanza d'albergo son tornato già fuori.

Appena fuori le mura vedo i bambini che giocano a rincorrersi come se erano a Parma al parco ducale, solo non sono a Parma al parco ducale, c'è una terra brutta spelata e sassosa ma loro si vede che se la godono come se era il parco ducale non giocano a calcio, a rincorrersi, giocano.

Mon ami mon ami, Ali Babà Ali Babà, les babouches les babouches, les épices les épices.

Questo vestito come si chiama?
Gandoura, si chiama, significa il contorno, per via che sta attorno al corpo.
Non ce l'hai più piccolo?
Lo vuoi più grande?
No, più piccolo.
È piccolo.
Quanto costa?
Centoottanta dirham, prix marocain.

Se me lo lasci a cento, forse lo prendo.
Centosessanta.
No no, centosessanta no. Poi mi servirebbe più piccolo.
Lo vuoi più grande?
No, piccolo, più piccolo. È bello però, di cotone, leggero, centoventi e te lo prendo.
Centocinquanta.
Centoquaranta.
Va bene.

I venditori di frutta secca sembran tutti dei quadri, con le teste che spuntano in un buco centrale in mezzo a datteri fichi noci nocciole, sembra un piccolo teatro tascabile che cura molto i particolari l'illuminazione i colori i costumi le posture come stanno le mani.

Mon ami mon ami, Ali Babà Ali Babà, les babouches les babouches, les épices les épices.

La piazza di sera verso le cinque si riempie di fumi, arrivano i ristoratori coi loro carretti, montano le loro cucine da campo, riempion la piazza di tavole con intorno le panche, cominciano a preparare le loro ricette, il tajine, il cous cous, le merguez, le brochette, in ogni banco i ristoratori a fermare i clienti a dirgli che il tajine che fan loro è il migliore di tutto il Marocco e quando poi dopo hai mangiato Com'era, ti chiedono, molto buono?

Sulla piazza c'è pieno di bar che puoi sederti all'aperto a bere un caffè dopo mangiato, puoi metterti lì per scrivere la tua cartolina al reverendo Dennis e a sua moglie Margaret Saluti dall'Italia, e se la vuoi imbucare lì sulla piazza vicino al Café de Paris c'è un venditore di libri che il suo banchetto l'ha impiazzato proprio intorno alla buca delle lettere gialla tu gli dài la cartolina, lui la prende e te la imbuca.

Mon ami mon ami, Ali Babà Ali Babà, les babouches les babouches, les épices les épices.

C'è un negozio di vestiti e di scarpe coi prezzi indicati, è il primo negozio coi prezzi che vedo, a Marrakech, Come mai avete i prezzi? gli chiedo.

È venuta la polizia, ci hanno obbligato a mettere i prezzi.

Ma dài. Questo vestito come si chiama?

Gandoura.

Gandoura? Senza maniche?

Gandoura, senza maniche, significa il contorno.

Ah. E quello lì col cappuccio, come si chiama?

Djelaba, si chiama, è un vestito marocchino tradizionale, è come la gandoura, solo ha il cappuccio. Ce ne sono da tutti i prezzi, da cento dirham a settecento dirham. Se prendi quello da cento dirham, costa centotrenta. Quello da duecento, duecentoventi, costa.

Mon ami, mi dice quello che mi ha venduto la borsa quando ripasso davanti alla sua bottega, Mon ami, gli dico io, come va?

Va bene, mi dice, vuoi un tè alla menta?

Grazie, gli dico, volentieri, e lui si alza D'accordo, mi dice, e mi fa sedere sulla sedia bassa davanti alla sua bottega di pelli poi sparisce mi lascia a guardare il mercato a un incrocio di due budelli con le tettoie ondulate di plexiglass che coprono il cielo, non tutto, restan dei posti che si riesce a vederlo, il cielo scuro dell'Africa settentrionale che si è rimesso a piovere forte.

Ma piove dentro? gli chiedo al venditore quando ritorna col suo tè alla menta.

Piove dentro sì, mi dice intanto che versa il tè dentro ai bicchieri, qui non è come da voi, qui siamo costretti a far tutto noi con le mani, anche da mangiare, e mi indica un venditore di fronte che traffica con dei pomodori, qui non è come in Europa che il governo dà le sovvenzioni ai commercianti, mi dice mentre prende il bicchiere riversa il tè dentro la teiera, qui ciascuno fa con le sue mani, mi dice, altrimenti, è la carità, quelli che fanno gli affari davvero non siamo noi, sono quelli che portano i turisti.

Passa un asino, si ferma davanti all'incrocio, si mette a scalciare, il ragazzo che porta l'asino gli monta in groppa di traverso, gli mette le mani sugli occhi, gli dà un canso di fianco, l'asino passa l'incrocio.

Fanno sempre così, dice il commerciante di pelli, vedono il tombino, pensano che sia un buco, bisogna accecarli per farli passare.

D'accordo, quello lì, quel mestiere di portare i turisti alla fine son tutti contenti, è contento il turista, che pensa di aver speso meno, è contento quello che l'ha portato, che ha guadagnato le sue commissioni, siamo contenti anche noi che abbiam venduto qualcosa quello è un mestiere che alla fine son tutti d'accordo, mi dice il venditore di pelli e a me torna in mente Capri e la borsetta di Jacqueline Kennedy.

Una volta su un treno avevo incontrato uno che di mestiere faceva la guida turistica a Capri, accompagnava le comitive di americani. Ha raccontato che tutte le volte che passava davanti a una certa pelletteria Tra l'altro, diceva, quella borsa lì in vetrina è lo stesso modello della borsa che ha comprato Jacqueline Kennedy quando è venuta a Capri *in questa stessa pelletteria*, diceva, e tutte le volte diceva che c'erano almeno due o tre americane che fermavano il gruppo che a tutti i costi volevano comprare la borsetta di Jacqueline Kennedy.

Jacqueline Kennedy, diceva la guida turistica, in quella pelletteria di Capri non c'era mai stata, però questo fatto della borsetta faceva contenti tutti, io che prendevo le commissioni, la pellettiera che tutte le settimane vendeva cinque o sei borse molto costose, le turiste che avevano un argomento di conversazione quando tornavano a casa si potevan vantare di essere eleganti come la Kennedy.

Mon ami mon ami, Ali Babà Ali Babà, les babouches les babouches, les épices les épices eee, che lavoro.

Al Café de Paris ci saranno centocinquanta persone tutte sedute mi fermo a guardarli non la partita, che la televisione è un punto là in fondo che non si vede niente, mi fermo a guardare le onde di nervoso che vanno e che vengono esco alla fine del primo tempo che fuori è già scuro.

Bonsoir, mon ami, gazelles?
No, niente gazelles, gli dico, e lui sorride di un brutto sorriso e mi viene dietro.

Ma tu sai cosa son le gazelles?
No, gli dico, non lo so.
E come fai a sapere che non ti interessano?
Eh, gli dico, me lo immagino.
E i poissons, ti interessano?
No, gli dico, non mi interessano neanche i poissons.
Ma tu lo sai cosa sono i poissons?
No, non lo so.
Guarda, mi dice, se vieni con me ti porto nella Place des poissons, appena fuori dal mercato, un posto che se uno cerca un poisson, là ci son tutti i tipi di poissons che si possono immaginare.

Guarda, gli dico, se avevo bisogno di un poisson venivo volentieri, purtroppo si dà il caso che io non ho bisogno di poissons, in questo momento, quindi è inutile che mi vieni dietro, domattina presto devo anche partire quindi scordati di me, gli dico.

Ho capito, mi dice.

Moutons? Non è che per caso sei uno che preferisce i moutons?

Di notte la piazza di Marrakech continuano ancora i ristoratori a far da mangiare, ci sono i cantastorie coi loro tamburi con intorno la gente a sentire, ci son gli indovini seduti per terra coi loro libri strologare il futuro Io quasi quasi, penso nel freddo delle dieci di sera che di sera fa freddo, nella piazza centrale di Marrakech, siamo sotto l'Atlante, dalla piazza si vedon le cime dei monti che c'è anche la neve.

Si può sapere il futuro?

Si può, mon ami, si può, taglia le carte con la sinistra.

Io tagliare taglio, ma posso farle una domanda?

Fai.

Ecco, io devo scriver dei dialoghi ambientati in un posto che io non so niente, di quel posto lì, non che questo sia poi molto importante, son già stato nel Mississippi che non sapevo niente neanche del Mississippi, solo che questa volta ho perso il quaderno dove avevo preso gli appunti, ecco, gli dico, vorrei sapere se gli piaceranno, a quelli del cinema che mi hanno mandato, i dialoghi che scriverò.

Secondo intervallo
E non ha nostalgia?

Il ritorno con la Royal Air Maroc devo riscrivere il pezzo sùl mercato non riesco a leggere niente l'Opinion faccio appena in tempo a vedere la pagina sportiva c'è scritto che come si poteva prevedere i leoni dell'Atlante hanno piegato i tunisini per uno a zero.

Anche il viaggio in treno, scrivo rileggo correggo finisco poco prima di arrivare a Sfondo quando arrivo esco sul piazzale, l'attraverso, entro nella reception del Ferrotel, alla reception c'è una ferroviera Buongiorno, mi dice, lei che numero ha?

No, le dico, no, cercavo un mio amico ma vedo non c'è, mi scusi.

Si figuri, mi dice lei, arrivederci.

Arrivederci, le dico, e esco ancora sul piazzale, l'attraverso, mi fermo davanti all'ingresso della stazione a fumare una sigaretta.

Volto le spalle alla stazione, guardo il piazzale, la luce là in fondo della birreria per i ferrovieri che disegna una striscia di giallo nella coltre di nebbia leggera, sembra che in questo piazzale di Sfondo poi ci sia sempre una nebbia leggera e mi vien da pensare alla differenza tra natura naturata e natura naturante, me ne ha parlato una volta un mio amico regista che era appassionato del famoso regista olandese Spinoza, questa distinzione dev'essere sua mi sembra adesso di capirla davvero.

Sfondo deve avere una natura naturante, dev'essere un posto che quando uno passa da Sfondo il tono estraneo e malinconico del paesaggio si riflette nell'umore di chi ci passa perlomeno nel mio, che quando sono a Sfondo sono estraneo e malinconico di una malinconia strana, soddisfatta di sé, una malinconia che non aspira a essere altro come questi alberghi per ferrovieri, queste birrerie per ferrovieri, questi bar per ferrovieri che non vogliono essere altro che bar, alberghi, birrerie per ferrovieri, mi vien da pensare, e in quel momento mi sento osservato, mi giro verso l'androne della stazione mi sembra di intravedere di là dal vetro una pettorina gialla e verde che dopo un attimo non c'è già più.

Butto la sigaretta, entro, l'androne è deserto. Mi siedo sulla panchina, tiro fuori dalla borsa il mio pacchetto, guardo, non succede niente. Metto la borsa sotto i piedi, il pacco dei dischetti e dei libri sotto la testa, mi stendo, chiudo gli occhi Raccolta dischetti, sento, raccolta dischetti, raccolta dischetti. Alzo la testa, in mezzo all'androne c'è un uomo con una pettorina gialla e verde Distribuzione biglietti, raccolta dischetti, raccolta dischetti, grida come se fosse in una piazza affollata invece è nell'androne deserto ci siamo solo io e lui.

Mi alzo, prendo il pacco, mi avvicino, faccio per darglielo Aspetti, mi dice, lei che numero ha?

Duecentoventuno.

Duecentoventuno duecentoventuno duecentoventuno... sì, dice, prego, mi dà il pacco nuovo, prende il vecchio Secondo binario, mi dice, tra quaranta minuti.

Grazie, gli dico, e intanto che lui si allontana gridando Raccolta dischetti, raccolta dischetti, raccolta dischetti nell'androne deserto io mi siedo ancora sulla panchina, sfaccio giù il pacco Ma dài, penso, e comincio a guardare le guide che mi hanno dato dopo dieci minuti che guardo sento un rumore di passi pesanti, alzo gli occhi, in mezzo all'androne c'è un uomo sui sessant'anni con un paio di jeans stretti, un paio di camperos, una giacca blu coi bottoni dorati e un cappello bianco da texano che a un certo punto si ferma Aaah, dice, ma chi diavolo me l'ha fatto fare?

Faccio finta di rimettermi a leggere, intanto che faccio finta di rimettermi a leggere lo vedo da sotto le ciglia che ricomincia a camminare poi si ferma ancora a due metri da me Aaah, dice, inferno sanguinolento, chi diavolo me l'ha fatto fare! E poi riprende la sua camminata un po' da cowboy si viene a sedere di fianco a me.

Gira la testa verso di me Salve, mi dice, e poi si rimette a guardare dritto davanti a sé.

Si toglie il cappello, tira fuori un portasigarette metallico dalla tasca della giacca, estrae una sigaretta dal portasigarette, tira fuori uno zippo, si accende la sigaretta, dà un gran tiro, si volta ancora verso di me Salve, mi dice.
Salve, gli dico io. Come va?

Non c'entra niente col modo in cui è vestito, è quasi calvo, ha un po' di doppio mento, la faccia da buono, le macchie della vecchiaia sulle guance e sulle mani e sembra stanchissimo.

Si rimette a guardare dritto davanti a sé Ho un mal di piedi, dice.

Ok, dice, aggiornarsi va bene, ma anche questo mal di piedi, inferno sanguinolento, chi diavolo me l'ha fatto fare?

Rigira la testa verso di me Ma lei, mi chiede, è molto che è qua?
Ho fatto due film parto per il terzo.
E non ha nostalgia?
Nostalgia? No.

Davvero? dice, e s'è già messo a guardare di fronte a sé. Ma pensa, dice, e poi gira ancora la testa verso di me Ma e i suoi personaggi? mi chiede. Le sue abitudini? I suoi spettatori? Il rapporto agrodolce con la realtà sanguinolenta? L'incubo della pagina bianca? Quel cominciar la giornata dicendo Chissà oggi come va a finire? Non ha nostalgia? mi chiede.
No, gli rispondo. Anzi, gli dico, adesso che mi ci fa pensare, un po' ho nostalgia della televisione.
Della televisione?
Della televisione.

Perché io a casa non ce l'avevo, allora quando andavo in giro mi prenotavan gli alberghi di solito dentro le stanze d'albergo c'era la televisione la guardavo fino a notte inoltrata qui per fortuna in Marocco c'era un canale satellitare ho visto una partita di campionato ma in Mississippi, per dire, solo programmi americani che non si potevan guardare.

Ah, dice lui, e poi non dice più niente butta per terra la cicca la pesta con uno stivale e poi resta lì a guardar gli stivali come se si era incantato.

Io resto un po' anch'io a guardarlo che si guarda gli stivali poi dopo un po' riapro la guida non faccio tempo cominciare a leggere che lo sento che dice Non so.

Non so, io non ero convinto, dice, la mia agente ha insistito, Ti prendi un anno sabbatico, vedrai ti fa bene. Ma i miei spettatori? I tuoi spettatori sopravviveranno, mi ha detto. La mia agente non le manda a dire, le cose. I miei spettatori sopravviveranno, ok. Ma io?

Aaah, dice, chi diavolo me l'ha fatto fare, inferno sanguinolento, e poi si rimette a guardar gli stivali e dopo qualche secondo che lui si guarda i suoi stivali io mi sento autorizzato a riaprir la mia guida come la apro Che contratto ha lei? sento.

Sono in prova.

Anch'io, sono in prova, cosa vuol dire, dice, la voce incrinata da un inizio di rabbia, che dannato contratto ha? Di sei mesi? Di un anno?

A tempo indeterminato.

A tempo indeterminato? E si trova bene?

Abbastanza bene.

Mah, dice, e scuote la testa.

Io ho un contratto di un anno ma non so se ce la faccio, a star così tanto in questo fottutissimo posto sanguinolento non sono per niente sicuro di aver fatto bene, anzi, ogni tanto mi chiedo chi diavolo me l'ha fatto fare.

Davvero? gli chiedo.

Lui mi guarda un po' di traverso senza voltare la testa, sembra che stia per dirmi qualcosa quando d'un tratto si sente gridare Raccolta dischetti, raccolta dischetti, raccolta dischetti, distribuzione biglietti, raccolta dischetti.

Voltiamo gli occhi verso la sala, c'è un uomo con una pettorina gialla e verde che gira in tondo grida come un ossesso Va be', dice lui, andiamo a vedere qual è la prossima sanguinolenta destinazione, dice, e si alza sui suoi stivali, si dirige verso l'uomo con la pettorina che è ancora lì che grida come un ossesso in mezzo all'androne della stazione io mi alzo anch'io che oramai anche per me è ora di cominciare un'altra cantata.

Terzo film
Uni vers alia

Son già ventitré ore di viaggio, non ho scritto niente. Magari comincio coi gigli e coi crisantemi.

Nel vagone ristorante è entrata una signora, in una mano due enormi mazzi di fiori, nell'altra un secchio di latta con su scritto Dljà polóv, per i pavimenti, e diceva, nel vagone ristorante con le tovaglie di plastica bianche con delle fragole sopra stampate Avete dell'acqua tiepida?

Ha riempito il secchio con l'acqua tiepida, ci ha messo dentro i fiori, ha guardato la signora che passa con il cestino a vender le mele le cioccolate le sigarette Me li han regalati a Mosca, le ha detto.
Quel secchio lì è per i pavimenti, ha detto la signora del cestino.

Quella dei fiori ha piegato appena la testa a sinistra Ho il permesso del capotreno, le ha detto. Sono preoccupata per i crisantemi. I gigli, ha detto, lo so che resistono, ma i crisantemi son preoccupata.
Ma che tratta fa? le ha chiesto la signora del cestino.
Tutta la tratta, ha risposto lei, fino a Vladivostók.

Vladivostók significa Signore dell'oriente, c'è scritto sulla guida. Ma cominciamo dall'inizio, da Mosca.

Il treno si chiama Rossija, Russia, significa, è il treno numero due, il più veloce treno transiberiano, scrive Montaigne, parte da Mosca alle quindici e ventisei del lunedì, arriva a Vladivostók alle sei e qualcosa del lunedì dopo, dopo centoquarantanove ore e rotte di viaggio, a una media di sessantadue e rotti chilometri all'ora.

A fare il calcolo le ore sarebbero centocinquantasei, però sette non sono effettive, sono di fuso orario.

Ogni giorno si attraversa una zona di fuso orario, se ne fan sette, arrivare a Vladivostók, si arriva alle sei del mattino ma sarebbero invece le undici del giorno prima, con l'ora di Mosca.

Praticamente, sul treno, una volta al giorno viene un momento che esser precisi bisognerebbe spostar l'orologio avanti di un'ora, e quell'ora lì è un'ora che per quel giorno non succede niente, è persa.

Anche le altre ventitré ore del giorno non è che succede molto, sul treno, a parte Grigorij. E poi dentro al treno non si sposta neanche l'orologio avanti di un'ora Noi viaggiamo con l'ora di Mosca, mi han detto all'inizio, a Mosca. Ma cominciamo dall'inizio, da Mosca.

A Mosca la transiberiana si prende dalla stazione Jaroslavskij, in piazza Komsomól'skaja, dove ci sono anche la stazione Leningradskij e la stazione Kazanskij, tre, in una piazza.

Allora la prima cosa, per fare un film sulla transiberiana, ricordarsi della stazione non fare come il famoso regista Knut Hamsun, che in partenza da Mosca per Vladikaukàs, persosi nella città aveva fermato un cocchiere In stazione, gli aveva detto, però non sapeva in quale, stazione, e allora il cocchiere aveva fatto il giro di tutte le cinque stazioni che c'erano a Mosca all'inizio del secolo scorso, adesso sono anche di più, ce ne son tre solo in piazza Komsomól'skaja, la Jaroslavskij è quella verde e bianca con su scritto Jaroslavskij, non quella rossa con su scritto Kazanskij, non quella gialla con su scritto niente, quella bianca e verde con su Jaroslavskij scritto in cirillico: Я – РО – СЛАВ – СКИЙ. E questo, l'abbiamo chiarito.

Il treno numero due fa tutta la transiberiana, parte da Mosca arriva a Vladivostók, novemiladuecentoottantotto chilometri, dice Montaigne, costruiti tutti nell'ultimo decennio dell'ottocento, dice la guida, invece Grigorij è un biznesmèn, e come gli altri biznesmèny della Russia si riconosce per via che non è comodo dentro i vestiti.

I biznesmèny, in Russia, sono sempre vestiti molto eleganti occidentali con delle giacche delle cravatte delle scarpe inglesi lucide lucide, e nonostante l'eleganza dei loro vestiti i biznesmèny russi li vedi che sono a disagio, sono sempre lì che si toccano le cravatte come a dire Cos'è, questa roba? son sempre lì a aggiustarsi la giacca come a dire Come cade, questa palandrana, con tutto quello che l'ho pagata?

I biznesmèny russi di questa generazione molti sono nati negli anni sessanta, in piena Unione Sovietica, son stati concepiti all'epoca del volo di Jurij Gagarin quando nel paese si era diffusa l'euforia l'Unione Sovietica era all'avanguardia nel mondo sembrava il posto ideale, per far crescere un bambino un nuovo combattente per la rivoluzione mondiale per la vittoria del comunismo.

Dopo poi la storia ha fatto una curva tutti quei bambini che volevano essere dei Gagarin, nelle intenzioni dei genitori, adesso sono intorno ai quaranta si preparano a essere degli uomini d'affari degli imprenditori dei commerciali degli amministratori.

Solo, la conformazione naturale dei loro corpi è rimasta quella originale con delle fasce muscolari una struttura ossea che stan bene vestite con delle uniformi, con delle tute da ginnastica, con delle tute spaziali nei panni degli imprenditori si vede ci stanno scomodi, i biznesmèny russi nei loro Versace, Trussardi, Armani, Gian Franco Ferré, Grigorij anche lui come gli altri.

A Jaroslàvl' dopo pochi chilometri dai finestrini è cominciata questa sfilata di bianco, betulle bianche su neve bianca, interrotta soltanto dalla sagoma scura di qualche izba di legno nella penombra delle cinque del pomeriggio, ora di Mosca.

Grigorij si occupa di edilizia, ha degli alberghi, ha dei casinò, ha delle sale da bowling in tutta la Russia, la società dove lavora dev'essere un pezzo grosso.

Sta andando a Ekaterinbùrg a mettere a posto un dipendente che ha fatto degli spropositi, viaggia in treno così si riposa poi viaggiare in aereo a lui non gli piace lo fa solo se ci è costretto l'ha fatto per esempio adesso recentemente è andato a Zurigo a far operare sua moglie a un occhio.

Una volta erano al tiro al piattello, lui ha centrato un piattello, son partite le schegge, una scheggia è andata a finire nell'occhio di sua moglie è partito l'occhio. Ha preso la moglie l'ha portata d'urgenza a Zurigo dal chirurgo più bravo del mondo l'hanno operata adesso ha un occhio di vetro non si vede niente.

Ma Grigorij quello che gli interessa, sono i biliardi. Non

i biliardi quelli normali i pool che abbiamo noi in occidente, i biliardi russi.

A guardare la Russia dal treno, la campagna che c'è intorno a Perm', l'orizzonte sembra vicino in un senso, perpendicolare al treno, e sembra infinito nel senso contrario, nel senso del moto del treno, una striscia di terra piatta e infinita con il ghiaccio per terra, gli uomini piccoli e le betulle al posto dei pioppi.

Grigorij l'ho incontrato nel vagone ristorante, mi si è seduto di fianco, con tutto il posto che c'era Lei è russo? mi ha chiesto.

Italiano, gli ho detto.

Come si chiama? mi ha chiesto.

Paolo, gli ho detto.

Come Paolo Maldini, mi ha detto.

Uguale, gli ho detto.

Io mi chiamo Grigorij.

E gli uomini in Russia sempre piccoli mi sono sembrati, non solo dal treno, fin dalla prima volta sul Nevskij con i palazzi enormi e gli uomini piccoli vestiti di grigio.

Che lavoro fa? mi chiede Grigorij.

Traduttore, gli dico.

Non voglio dire dei film che poi perdono spontaneità vengon fuori dei dialoghi che non son genuini.

Traduttore, gli dico.

E guadagna bene? mi chiede, e comincia la quarta birra Baltika tre.

Le ordina due alla volta, non una per lui una per me, io

non bevo che non voglio perdere lucidità che poi vengon fuori dei dialoghi ottenebrati tutte e due per sé, le ordina.

Guadagna bene? mi chiede.
Non mi lamento, gli dico.
No perché, mi dice Grigorij, io avrei in mente una cosa, dove ha detto che abita, a Bologna?

Dice Terzani che nel novantatré, ogni volta che il treno arrivava in una stazione piccola o grande, sulla transiberiana, si ripeteva lo stesso spettacolo. Appena la gente sentiva il fischio del treno, usciva dalle case e si precipitava, eccitata, verso la stazione. A volte sembrava che tutta la popolazione dei dintorni corresse lungo le rotaie.

Avete i biliardi, a Bologna?
Li abbiamo.
Ma voi avete i pool.
I pool.
Il biliardo russo, dice Grigorij, è un'altra cosa.

Dice Terzani che a Perm', nel novantatré, sono salite due russe con delle pistole tedesche e ne hanno venduta una al mongolo che era nel suo scompartimento, per difendersi dai gangster di Mosca, e che alla stazione di Danilov sono salite due russe procacissime con i loro magnaccia e che lo scompartimento numero cinque del vagone de luxe si è trasformato improvvisamente in bordello.

Noi a Mosca abbiamo tre sale da biliardo aperte ventiquattrore su ventiquattro, mi dice Grigorij intanto che ordina altre due birre Baltika tre.

Allora una sala, con tre biliardi, facciamo pagare venti dollari all'ora, tre biliardi sempre pieni ventiquattrore, vieni a

Mosca ti faccio vedere la gente che fa la fila, tre per ventiquattro per venti per trenta, aspetta un attimo, dice Grigorij, e tira fuori la calcolatrice, tre, per ventiquattro, per venti, per trenta, quarantatremiladuecento dollari al mese.

Togli la metà per spese di gestione, ventunomilaseicento dollari al mese di utile.

Metà io, metà tu.

Diecimila dollari al mese, mi dice.

Tu devi solo trovare un locale a Bologna mettere i biliardi.

E poi sederti a casa fare le tue traduzioni aspettare che arrivano i soldi.

Dice Terzani che nel milleottocentonovantotto i vagoni de luxe della transiberiana avevano sale da bagno, una biblioteca, una palestra e una sala da musica con pianoforte. E dice, Terzani, che lui, nel novantatré, sulla transiberiana, ha incontrato un elegante signore parigino, architetto settantaquattrenne, la cui moglie era una famosa veggente che l'aveva mandato in Mongolia a farsi ricaricar d'energia, che in Mongolia l'energia abbonda, secondo Terzani.

E poi, a Terzani, lo era andato a trovare nel suo scompartimento un giovane francese con la sua bella moglie centrafricana e gli avevano raccontato un'interessantissima storia di chiaroveggenza africana con degli uomini che diventavano dei coccodrilli. Questo a Terzani nel novantatré. A me, oggi, Grigorij e i biliardi russi.

Io, mi dice Grigorij, prima di scoprire il biliardo russo giocavo al vostro biliardo, al pool, adesso non riesco più. Mia moglie mi chiede qualche volta di giocare con lei, lei gioca al pool, io gioco per farle piacere, ma non mi diverto, rispetto al biliardo russo è un gioco da bambini. Io, è matematico, mi dice Grigorij, se facciamo entrare tre biliardi russi in Italia dopo un anno c'è pieno, di biliardi russi, mi dice.

Oggi il vagone de luxe della transiberiana si differenzia dagli altri vagoni per il numero di posti, due per scompartimento invece di quattro, e per il colore dei rivestimenti, rossi invece di verdi. Per il resto, non solo non c'è la palestra non c'è la biblioteca non c'è la sala da musica non c'è il pianoforte non c'è niente di speciale, non solo. La doccia, non si può neanche fare la doccia, nel vagone de luxe della transiberiana, oggi, a differenza di prima.

Adesso io devo scendere, mi dice Grigorij, ti lascio il mio numero così quando torni a Mosca mi chiami, andiamo a fare un giro, ti faccio vedere i biliardi verifichi la superiorità del biliardo russo sul pool e dopo partiamo diamo inizio all'epidemia, mi dice Grigorij, aspetto la tua chiamata chiamami chiamami mi raccomando.

Dice Colin Thubron che sulla transiberiana prima di Ekaterinbùrg d'un tratto nel finestrino appare lo spettrale obelisco fatto erigere dallo zar Alessandro primo circa due secoli fa. Da un lato sul piedistallo c'è scritto Europa, dall'altro c'è scritto Asia, e l'obelisco segna il punto geografico dove comincia la Siberia, secondo Thubron.

Io l'obelisco però non l'ho visto si vede dormivo, quando ci siamo passati.

Dice la guida che il nome Siberia deriva dal mongolo Siber, meraviglioso, puro, e dal tartaro Sibir, terra addormentata. E dice che c'è una leggenda che spiega l'incredibile abbondanza di ricchezze imprigionate dai ghiacci.

Che le mani di Dio, dice la leggenda, distribuendo i tesori della terra rimasero assiderate proprio mentre si trovavano sopra la Siberia, lasciandone cadere in maniera spropositata. Ma essendosi egli reso conto che l'uomo ne era indegno, dice la guida, Dio rinchiuse i tesori in uno scrigno di ghiaccio, rendendo quella terra priva di vita e addormentata.

Che a uno, non che si voglia esser pignoli per forza, ma a uno gli viene da chiedersi Ma se si erano assiderate, le mani di Dio, perché si erano assiderate, se il ghiaccio ancora non c'era?

Il problema, che non mi parla nessuno, dopo che è sceso Grigorij m'ha lasciato il suo numero otto zero quattro zero zero zero quattro se qualcuno vuole importare in Italia i biliardi russi si accomodi secondo me è un affare.

Bevono il loro tè, giocano ai loro scacchi, leggono i loro giornali con le donne nude, žëltaja pressa, la chiamano loro, la stampa gialla, a me non mi parla nessuno.

Il telefax che mi avevano dato all'hotel Cosmos con i documenti di viaggio diceva Più storie e meno descrizioni. Ma non le storie delle tue amiche emiliane che somigliano a Ambra che non interessano poi a nessuno. E se hai dei problemi, tira fuori magari la storia che devi scrivere un film usala qui, la tua identità, non per parlare delle tue amiche che somigliano a Ambra che sono cose, lo vuoi capire? che dal punto di vista popolare non interessano niente a nessuno. E il tono, riesci a calcare appena di più, o ti fa paura aver così tanti spettatori? c'era scritto nel telefax, e poi c'era un poscritto D'ora in poi ti mandiamo solo nei posti che conosci.

Mi danno un compagno di viaggio regista teatrale che viaggia con me una notte e dopo al mattino poi deve scendere alla stazione di Omsk.

In Italia non sono mai stato, mi dice, ma conosco un italiano, un coreografo di Firenze, Paolo, si chiama.
Anch'io mi chiamo Paolo, gli dico.
E di cognome?
Pescatori.
No, mi dice, non sei tu.

Di un suo documentario il grande regista norvegese Knut Hamsun ha detto una volta Io sono stato, posso ben dirlo, in quattro dei cinque continenti. Non ho naturalmente girato nell'interno di essi e non sono stato neppure in Australia, i miei piedi comunque hanno camminato per il mondo ed ho veduto qualche cosa; ma una cosa che possa stare a confronto con Mosca non l'ho mai veduta.

Ho veduto belle città e Praga e Budapest mi sono sembrate belle; ma Mosca è fantastica, dice Knut Hamsun, grande regista e io, nel mio piccolo di raccoglitore di dialoghi dell'Ente Nazionale della Cinematografia Popolare posso dire la stessa cosa dei russi, che sono fantastici.

A Omsk quando viene al mattino l'addetto al vagone de luxe che mi chiede se voglio il caffè Lo voglio, gli dico, e quando ha tempo vorrei farle anche qualche domanda, che io anche se sino adesso non ho detto niente sono qui per scrivere un film sulla transiberiana vorrei chiederle il suo parere.
Ah, certo, mi dice, anche subito.

Prima, di notte, quando c'era ancora il regista teatrale, mi ero svegliato, il treno era fermo in una stazione, ho guardato fuori c'era un'insegna luminosa Kassovyj zal.
Si era svegliato anche il regista teatrale Dove siamo? mi aveva chiesto.

A Kassovyj zal.
Cosa?
Guardo fuori ancora A Kassovyj zal, gli dico. Poi vedo una scritta più piccola Scusa, gli dico, a Tjumen'.
Mi ero ricordato, Kassovyj zal significa Biglietteria.

Mi chiamo Vladìmir Anatólevič sono otto anni, che lavoro qui.

Quando ho cominciato, il treno era sempre pieno, non si trovava un posto neanche a pagarlo.

I biglietti costavano poco, e con la liberazione del commercio c'era pieno di gente che comprava a Mosca la merce occidentale la portava a Vladivostók, e da Vladivostók compravano la merce sudcoreana la portavano a Mosca. Adesso i biglietti qui sono aumentati, le merci hanno trovato delle altre strade, per trasportarle, i container, non so, i viaggiatori non viaggia più quasi nessuno.

Io il mio stipendio, mi dice Vladìmir Anatólevič, è l'equivalente di un viaggio in seconda classe da Mosca a Vladivostók, tremila rubli. Per quello abito a Jaroslàvl'. A Mosca con i prezzi di Mosca con il mio stipendio sarebbe difficile. Su questo treno, vedrà, moscoviti che ci lavorano non ce ne sono. Ma non è un brutto mestiere, lavoriamo due settimane, due settimane ci riposiamo, non è male. Ecco, mi dice Vladìmir Anatólevič, se ha delle altre domande io son sempre qui fino a Vladivostók sono a disposizione.

Di giorno fan sentire la radio, una specie di filodiffusione che son sempre le stesse canzoni che ruotano ogni tre quattro ore ritorna la versione spagnola di Oči čërnye, Natalìa, è intitolata.

Son lì che ascolto Natalìa Ma chi è, ma chi è, sento dire, ma è lei? e vedo che entra nel mio scompartimento l'addetta al vagone numero sei.

Piacere, mi dice, io mi chiamo Lena Vladìmirovna, sono sedici anni che lavoro su questo treno, ha delle domande, per me?

Fino al novantuno c'erano molti turisti, molti stranieri, occidentali. Era di moda, e tutti quelli che venivano volevano portare poi via un ricordo, una tazza di porcellana, una spallina dell'uniforme, finivamo i viaggi che non avevamo più niente. Poi con la perestrojka, è cambiato tutto.

Han cominciato a venire sul treno con le pistole, a fare delle rapine, dall'estero hanno smesso di venire.

Anche i turisti occidentali coi quali avevamo fatto amicizia, ci scrivevano che avevan paura per noi. Ci mandavano del sapone, dello zucchero. Ce li avevamo, sapone e zucchero, però era bello, riceverli dall'occidente sapere che c'era della gente che si preoccupava per te.

Adesso non viaggia più nessuno, pochi. Qualcuno in seconda classe per risparmiar sull'aereo, e qui in prima classe qualche ferroviere, qualche invalido, gente che non paga. Oppure qualche biznesmèn sui tratti brevi, uno o due giorni.

La cosa più interessante, mi dice Lena Vladìmirovna, su questo treno, è la vita privata. Se sei sposata, vivere quindici giorni senza tuo marito è un problema. Io sono dieci anni, che mi son separata.

Ogni viaggio non sai mai quello che ti succede e questo mi piace molto. Che poi è vero in parte, perché in generale qui sul treno quel che succede, è che bevono. Ma non so, a me piace tanto. Quando sono a casa, non ho neanche voglia di uscire, sto lì ad aspettare di ripartire. È un bel mestiere, il nostro, mi dice Lena Vladìmirovna, però è un mestiere difficile.

Dottore, piazzista, cuoco, infermiere, donna delle pulizie, tutto, devi saper fare. Certo prima della perestrojka era un altro discorso.

Prima della perestrojka il livello di vita era molto, più alto, mi dice Lena Vladìmirovna e questa è una cosa, mi vien da pensare, che raccontarla in Italia non ci crede nessuno.

Stress e depressione son due parole che in Russia le ho viste per la prima volta quest'anno, scritte su un manifesto, la pubblicità di un farmaco.

Stress, e depressione, mi vien da pensare, la Russia dell'occidente si prendono anche le malattie coi nomi e con tutto, stress, e depressija.

Non che si mangi male, nel vagone ristorante della transiberiana, si mangia anche bene, solo non è esattamente un vagone ristorante con tutti i crismi con gli agi e i comfort che uno se li aspetta, da un vagone ristorante. Molti dei posti a sedere sono occupati da cartoni di birra di vodka di succhi di frutta di cognac armeno.

Ma come mai, chiedo all'inserviente, questo vagone ristorante sembra più un magazzino, che un vagone ristorante?

Perché altrimenti qui siamo in perdita, mi dice.

In perdita?

Eh, in perdita. Qui vengono a mangiare solo quelli del vagone de luxe, quelli della seconda classe vengono ogni tanto a prender da bere, per mangiare si portan le cose da casa. Allora se non facciamo un po' di commercio, mi dice il cameriere, noi va a finire che ci rimettiamo, con questo vagone.

Nelle stazioni piccole, quando ci fermiamo, ci sono sempre delle vecchiette che aspettano il treno, quando arriviamo son già lì sotto il treno nei loro cappotti a vendere il pane, i semi di girasole, i pirožkì, che sono come dei panzerotti, ma piccoli, e soprattutto del gran pesce secco, infagottate nei loro cappotti con dei gran cappelli di pelo, a Barabìnsk per esempio c'è pieno.

E son questi, i posti dove succedon le cose, minime, come uno che mi si avvicina mi chiede Sei di qua?
No, gli dico.
Devo andare a Tomsk, mi dice, come faccio a andare a Tomsk?

Oppure una vecchia con le borse in mano che si rivolge ai finestrini del treno e grida Pesce, pesce caldo, pane, pane bianco e nero, pane pesce e pirožkì, e venite un po' giù, da quel treno, che vi venga la morìa, a star sempre rintanati.

A Novosibìrsk, invece, che ci son tre stazioni, occidentale, principale, orientale, e la metropolitana, e un milione quattrocentotrentaseimila abitanti, dice la guida, a Novosibìrsk, mi dispiace, con tutto che è una città che è nata nel milleottocentonovantatré all'epoca della costruzione del ponte sul fiume Ob' per la transiberiana, con tutto che in poco tempo è diventata la capitale della Siberia, con tutto che è una città moderna dalle ampie vie e dalle belle piazze e che vanta un teatro dell'opera e del balletto detto il Bol'šój siberiano, imponente edificio a pianta rotonda con porticato di dodici colonne e cupola argentea, non succede niente di interessante, nelle stazioni di Novosibìrsk, a parte il buio che c'è fuori dal treno che a Mosca son le due e mezza del pomeriggio a Novosibìrsk c'è già un buio da sera inoltrata.

Mi scusi, ma lei, di professione, cosa fa? mi chiede un signore che è appena montato che mi si avvicina mentre stiamo fumando nell'unico punto non riscaldato del treno, un compartimento metallico tra due vagoni che è l'unico posto che si può fumare.

Scrivo dei film, gli dico.

Ah, ecco, mi dice, mi avevano detto. Io avrei una storia da raccontarle. Anzi, mi dice, due. Ma venga nel mio scompartimento, che le offro un tè che ci riscaldiamo.

Il premio Oscar Knut Hamsun, una volta arrivato a Vladikaukàs, si accorse che non c'era niente di interessante, da filmare, a Vladikaukàs, il signore del Caucaso, l'etimologia.

Io mi chiamo Anatolij abito a Novosibìrsk ho una piccola impresa, costruiamo le saune, ma non è di questo che le voglio parlare. Io ho due storie da raccontarle la prima gliela racconto subito, se ha tempo se non le dispiace, intanto le servo il tè.

Quando ho fatto il militare nel millenovecentosettantotto facevo il marinaio. Dopo un paio d'anni, con la mia nave, siamo andati all'Avana alla festa internazionale della gioventù. Bellissima festa, tra l'altro, ma non è di questo che voglio parlare, ecco lo zucchero. Ho conosciuto anche Fidel Castro, facevo il cuoco, Fidel Castro all'inaugurazione ufficiale mi è arrivato a un metro da me ho le foto a casa ho tutte le prove. Ma non è di questo che le voglio parlare. Allora è successo che dopo, finita la festa internazionale della gioventù, siam ripartiti per tornare indietro, è scoppiata la rivoluzione del Nicaragua.

Si alza, alza la sua cuccetta, da sotto la cuccetta tira fuori un pacco di plastica con dentro dei biscotti Questi biscotti, mi dice, li ha fatti mia mamma si serva pure, son fatti in casa son buoni, mangi mangi.

Allora, mi dice, scoppia la rivoluzione del Nicaragua, noi siamo già sulla via di casa, cosa fanno, gli stati maggiori? Ci fanno tornare indietro ci mandano in Nicaragua a sedare la rivoluzione. Senza stare a guardare chi aveva finito il militare chi aveva appena cominciato senza far differenze.

Così io, che dovevo fare tre anni di militare, è andata a finire che ne ho fatti quattro e mezzo, di anni. Modo di dire russo, dice Anatolij alzando il pollice e l'indice a cerchio, Bez menjà menjà ženili, Mi han sposato senza di me.

Avevamo anche finito le sigarette, ci han dato da fumare delle sigarette cubane, all'inizio sembrava di fumar del catrame, dopo poi quando siamo tornati a casa, fumavi una delle nostre una Prima, ti sembrava di fumar della paglia.

Modo di dire russo, dice alzando l'indice e il pollice a cerchio, Bedà, ne prichodit odnà, I guai non vengono mai da soli.

Questo, volevo raccontarle, mi dice Anatolij, questa è la prima storia che se vuole la può scrivere. Poi ce n'è un'altra, mi dice, ma non voglio stancarla gliela racconto un altro giorno, che mi han detto che arriva fino a Vladivostók, abbiam tempo.

Modo di dire russo, dice col pollice e l'indice a cerchio a attirar l'attenzione, Vremja, den'gi, Il tempo è denaro, e noi su questo treno di tempo ne abbiamo quanto vogliamo, siamo ricchi, mi dice Anatolij.

Non stia a guardare, mi dice, se questa storia non le è piaciuta, se non le è piaciuta ha ragione, non era molto interessante, questa storia della festa internazionale della gioventù a Cuba del Nicaragua che le ho raccontato, la prossima è meglio, si fidi.

Di notte, a Tajgà, il nostro treno si ferma sul primo binario, i passeggeri che devono prendere un treno sul secondo binario passan dal nostro.

I sottopassaggi non ci sono ci sono i soprapassaggi ma sono alti e sono lontani, i passeggeri del treno in partenza sul secondo binario salgono la scaletta, attraversano il nostro treno, scendono la scaletta tutti vestiti coi loro cappelli, nei loro cappotti, coi loro bagagli.

E a Marìninsk, c'è un freddo che gela le orecchie, la scaletta del treno si è incastrata non scende, due ragazzi da sotto Serve una mano? chiedono a Vladìmir Anatólevič.

Sì, dice lui.

Venti rubli, dicono loro.

Ma andate affanculo, dice lui, Lena! chiama, La scure! e Lena scende dal suo vagone la scure in mano comincia a picchiar con la scure sull'incastro della scaletta, il ghiaccio si stacca, la scala scende.

E a Krasnojàrsk, alle quattro di notte, con questo fatto degli orari sballati non si capisce a che ora dormire, alle quattro di notte entra nel mio scompartimento uno, biznesmèn, da come è vestito, Buona sera, gli dico.

Buona sera, mi dice lui. O buon giorno, mi dice, e scoppia a ridere la risata tipica dell'ubriaco.

Sei tu che fai i film? mi chiede.

I film?

Eh, dice, i film, non sei tu, ho sbagliato scompartimento?

No no, gli dico, sono io, non hai sbagliato.

Molto piacere, mi dice, Vladislàv Poligràfovič, vice direttore generale del Kombinator Bajkàl per la cellulosa aspettami qui, ordino cinquecento grammi di vodka e ti raggiungo.

Il lungo viaggio in ferrovia sconquassò le diverse parti della testa del famoso regista Knut Hamsun, che una volta arrivato a Vladikaukàs sentiva stanchezza, malessere e febbre. Questo male si può curare con un bicchierino di alcole, pensò.

Paolo Paolo, ascoltami. Io adesso ti racconto il sistema della lavorazione della cellulosa e tu scrivi... un documentario molto pregiato, Paolo Paolo. Paolo Paolo, brindiamo alla fratellanza tra la Russia e l'Italia. La cellulosa la fanno sul lago... Bajkàl, Paolo Paolo... mi han festeggiato proprio bene, i miei amici.

Ma cos'hai, non hai dormito?

Paolo Paolo, c'è un armeno che chiede a suo figlio Ma tu, sei ancora un ragazzo o sei un uomo? E il figlio non capisce. Se hai dormito con una donna, Paolo, gli dice il padre, sei un uomo, se no sei un ragazzo. Allora sono un ragazzo, gli dice il figlio. Io non credevo che con loro ci si potesse addormentare, Paolo Paolo, dice Vladislàv Poligràfovič e scoppia a ridere la risata tipica dell'ubriaco.

Paolo Paolo, il lago Bajkàl l'hanno scelto perché aveva... l'acqua più pulita del mondo. Han fatto dei test, poi hanno scelto il lago... Paolo, io mi dispiace, ho bisogno un po' di dormire. Adesso domattina poi dopo ti porto al ristorante, va bene? Poi ti spiego tutta la lavorazione, va bene? Facciamo l'ultimo brindisi alla Russia a questo grande paese.

Quando mi sveglio sono da solo, nello scompartimento, Vladislàv Poligràfovič lo trovo al ristorante seduto con una signora molto distinta. Mi siedo discreto in un tavolo libero, mi vede subito Paolo Paolo, mi chiama, vieni con noi, dice, e io vado.

Vi presento, dice Vladislàv Poligràfovič, Paolo, un mio amico italiano, Tat'jana Michàjlovna Urjàdkina, medico neurochirurgo.

You're italian? mi chiede la neurochirurgo, We can speak english, mi dice. I've got the master in english language and literature at Novosibìrsk's university. I'll be very happy to practice my english with you.

Veramente, le dico, io l'inglese lo parlo peggio del russo, preferirei parlare russo, se non le dispiace.

Lui parla il russo, benissimo, dice Vladislàv Poligràfovič, ieri notte gli ho spiegato tutto il processo della lavorazione della cellulosa ha capito perfettamente, questo regista meridionale neapoletano, dice, e mi dà una botta sulla schiena.

Lei è un regista? mi dice la neurochirurgo Oh, ma è meraviglioso, e come mai è qui?

Devo scrivere un film sulla transiberiana.

Sulla transiberiana! mi dice Ma è il destino che la manda da me! Ma io sono una specialista, della transiberiana! Ma io prendo sempre la transiberiana è la sessantesima volta che faccio il tragitto in transiberiana sono una storica, io, della transiberiana.

Mi ascolti, in transiberiana si percepisce tutta la Russia in ogni suo minimo dettaglio, possiamo scriverlo insieme, il film, io ho anche un progetto sui bambini della transiberiana, ho in cabina delle fotografie, poi gliele faccio vedere, sto in fondo al treno, in seconda, di solito viaggio in prima classe ma questa volta mi è successo un guaio.

Un guaio? le chiedo.

Eh, mi han rubato diecimila dollari, a Mosca.

Io mi occupo d'affari sono una donna d'affari mi occupo

di moda, avevo questa valigetta con l'utile di questo mese, diecimila dollari, me l'han rubata. E io, sa cos'ho fatto? Non mi son certo messa a far l'elemosina o cose del genere, no, io nel mio albergo ho messo un avviso Nella stanza duecentoventuno si fanno massaggi, e mi son messa a far dei massaggi ho tirato su i soldi per il treno sa, io sono stata in Tibet ho imparato i segreti dei massaggi tibetani dell'armonia be', adesso devo andare, mi dice questo neurochirurgo anglista donna d'affari massaggiatrice storica della transiberiana, ditemi la vostra cabina che vi vengo a trovare.

Che donna, eh, Paolo? mi dice il biznesmèn vicedirettore generale del kombinator del lago Bajkàl.
Fuori dell'ordinario, gli dico io.

Paolo, venga, che le offro un caffè le presento Andrej, venga venga si accomodi, mi dice Anatolij quando passo davanti al suo scompartimento mi chiama da dentro al coupé che dentro c'è questo Andrej e sul tavolino carne, birra, vodka, succo di frutta, tè, caffè Accidenti, dico.
Uno spuntino, dice Anatolij, un'oca che mi ha preparato mia madre. Lo sapeva che l'oca si conserva moltissimo? Se lei cuoce un'oca per bene si conserva anche una settimana. Mia madre ne ha cotte quattro, ne ho per l'andata e per il ritorno.

Mi siedo a bere il caffè.

Ma lei è italiano? mi chiede Andrej.
Italiano, gli dico.
Scrive dei film? mi chiede.
Scrivo dei film, gli dico.
E di cosa parlano? dice Andrej.
Ma che domande fai? gli chiede Anatolij.
Lasciami fare, dice Andrej, di cosa parlano? mi chiede.
Della transiberiana, gli dico.

Ma di cosa, della transiberiana?
Be', gli dico, della natura.
La natura è noiosa, mi dice Andrej.
Ma Andrej, gli dice Anatolij.
Be', cosa c'è? dice Andrej. La natura è noiosa, non è noiosa?
Modo di dire russo, dice Anatolij, Eš' pirog s gribami, a jazyk derži za zubami, Mangia pure a quattro palmenti, ma tieni la lingua tra i denti.
Scusatemi, dico io, devo andare a veder delle foto di una storica della transiberiana casomai ci vediamo poi dopo.

Paolo Paolo, meno male che sei tornato. Paolo, io non lo so cosa mi succede, Paolo. Io ieri sera ho copulato a destra e sinistra io stasera ho voglia di copulare ancora, come un napoletano giovane, Paolo, tu mi capisci. Quella donna è una donna, Paolo, mi risveglia tutte le energie meridionali che sono in me, come se fossi un armeno che suo padre gli chiede Hai mai dormito con una donna? e lui gli risponde Non credevo che con loro ci si potesse dormire, dice il vice direttore generale del kombinator della cellulosa del lago Bajkàl Vladislàv Poligràfovič, e poi prende dalla sua borsa una boccetta di eau de colon Hugo Boss, comincia a spruzzarsi di eau de colon.

Gorbačëv, ai suoi tempi, aveva cominciato una lotta all'alcolismo e la conseguenza fu che per un certo periodo in Unione Sovietica era difficilissimo trovare da bere.

La vodka si vendeva con le tessere, una bottiglia al mese per ogni famiglia. Cosicché i russi, ai tempi di Gorbačëv, non che avessero smesso di bere, si erano messi a bere delle cose strane, tipo i profumi e l'eau de colon.

È cominciato allora, probabilmente, il senso di inferiorità dell'uomo sovietico nei confronti dell'uomo occidentale, i cui frutti si vedono ancora adesso che un russo contemporaneo appena mette insieme due soldi si veste come un indossatore ciccione di Armani.

E un gruppo musicale sovietico, Nautilus pompilius si chiamano, ci avevano fatto anche una canzone, su questo senso d'inferiorità, ai tempi di Gorbačëv.

Alain Delòn, Alain Delòn, non beve eau de colòn.
Alain Delòn, Alain Delòn, beve dei gran bourbòn.
Alain Delòn, parla il francese, cantavano i Nautilus pompilius.

Ecco le fotografie che vi ho promesso. Questi, sono tre bambini orfani della transiberiana, ho un progetto per loro, il mio progetto numero uno. Ho fatto un viaggio con il mio attuale compagno, Pëtr, un fotografo del National geographic, abbiamo fotografato tutti gli orfani che abbiamo trovato che chiedevano la carità sulla transiberiana, abbiam poche foto, finora, il treno si ferma al massimo venti minuti, trovare gli orfani, farli mettere in posa, scegliere la luce, non è stato semplice. Quella dietro sono io, niente male eh? Quarantadue anni, ma mi difendo, sono anche nonna, questa è la mia nipotina. E quella vicino alla nipotina, sono io, un bel bocconcino di nonna quarantaduenne.

E questa, è una ragazza alla quale ho salvato la vita, l'ho operata alla testa, tutti dicevano Non può sopravvivere, io ho detto No, io sono stata in Mongolia a studiare i flussi di energia, io la salverò, difatti poi l'ho salvata, eccola qua, e quella di fianco a lei, sono io. Che bel pezzo di medico, eh?

Queste, invece, sono delle foto un po' osé, le ho fatte tre mesi fa, niente male, eh, per una vecchietta? Mi difendo, eh, cosa dice, Vladislàv Poligràfovič, cosa dice, signor regista?

Signor regista, io e lei possiamo fare grandi cose. Io e lei possiamo tenerci in contatto ha l'e-mail? Benissimo, io e lei possiamo tenerci in contatto via e-mail, io le passo le notizie sulla Russia, lei mi passa le notizie sull'Italia, lei scrive un film sulla Russia, io scrivo un film sull'Italia, un successo, assicurato! Io ho grandi progetti cinematografici, devo solo finire il mio dottorato in matematica superiore e poi mi butto sulla settima arte.

Eh, sì, ragazzi miei, voi tra un paio d'anni, quando mi vedrete in televisione Guarda, penserete, Tat'jana Michàjlovna Urjàdkina, e pensare che solo due anni fa parlava tranquillamente con noi come una persona normale.

Allora, vi piacciono le mie fotografie? Ne ho millecinquecento, in cabina, le volete vedere? Cosa fa, Vladislàv Poligràfovič, perché fa quei versi?

No, dice Vladislàv Poligràfovič, mi fa un po' male la schiena. Ho sempre questi problemi alla schiena, mi sa che avrei proprio bisogno di un massaggio tibetano dell'energia, dice.

I flussi mongoli, sono dell'energia, il massaggio tibetano è dell'armonia, Vladislàv Poligràfovič, stia un po' attento a quello che dice.

Guardi, vado a sistemare la mia cabina e poi, forse, ritorno a prenderla, vedo se il mio gatto acconsente ad accoglierla, ho preso un gattino, l'ho salvato dalle strade di Mosca lo porto a casa a Vladivostók, il piccolo randagio, adesso vado, aurevoir, è francese, significa Arrivederci.

Spunta nel coupé la testa di Vladìmir Anatólevič, Scusate, stiamo per arrivare a Zimà, il paese natale del poeta Evtušenko, forse le interessa, mi dice.

Paolo Paolo, sarà questo freddo la schiena mi fa sempre

più male, non è che intanto guardi Tat'jana Michàjlovna dov'è finita, andrei anche io ma non vorrei che dopo lei pensa che sono interessato che la vado a cercare.

La stazione di Zimà non c'è niente, una stazione buia con due lampioni, quattro chioschi chiusi, neanche un passeggero che sale, neanche un passeggero che scende, neanche nessuno che vende qualcosa.

In fondo al corridoio c'è Tat'jana Michàjlovna una valigetta in mano, quando mi arriva davanti con la testa mi indica la valigetta Documenti, mi dice, attestazioni, venga venga che le faccio vedere.

Questa, è la mia laurea in neuropsichiatria, università degli studi di Vladivostók. E questa, è la mia laurea in lingue e letterature straniere, università degli studi di Vladivostók. E questa, è la mia laurea in matematica, università degli studi di Vladivostók. E questo, è l'attestato di partecipazione al seminario internazionale di Universalia, un'organizzazione con sede a Vladivostók ma con diramazioni nei cinque continenti che si propone di favorire la nascita di una nuova coscienza mondiale che ci aiuti a uscire dalla stretta e meschina contemplazione delle nostre misere vite singolari e ad andare gli uni verso gli altri, Uni vers alia, è latino, dice Tat'jana Michàjlovna.

Fotografie, Tat'jana Michàjlovna, non ne ha portate? chiede Vladislàv Poligràfovič.

Vladislàv Poligràfovič, mi meraviglio di lei. Un dirigente, un intelligènt, preda degli istinti più bassi di fronte a dei documenti del genere, guardi questo e mi dica se riesce ancora a pensare alle fotografie, non c'è solo un corpo, Vladislàv Poligràfovič, davanti a lei, ma un cervello pensante, e che cervello, guardi un po' qui, dice Tat'jana Michàjlovna e allunga a Vladislàv Poligràfovič un foglio.

Vladislàv Poligràfovič scorre il foglio, allarga gli occhi, scoppia a ridere.

Ma questo, dice, col computer lo posson far tutti.

Tat'jana Michàjlovna, a sentire così, si irrigidisce tutta, gli strappa il foglio di mano rimette i suoi attestati nella valigia Signori, dice, arrivederci, e esce tutta stenca dal coupé con Vladislàv Poligràfovič che le corre dietro, Tat'jana Michàjlovna! grida, Tat'jana Michàjlovna! Aspetti! e in tre salti la raggiunge la blocca contro la parete del treno nel corridoio.

No, Vladislàv Poligràfovič, io me ne vado.

Tat'jana Michàjlovna, mi sono sbagliato.

No, Vladislàv Poligràfovič, ho sentito bene, non si è sbagliato. Col computer lo possono fare tutti, ha detto, non si è sbagliato, lei chissà con chi pensa di avere a che fare.

Tat'jana Michàjlovna, mi deve scusare!

Vladislàv Poligràfovič, quello che ha fatto è imperdonabile.

Tat'jana Michàjlovna!

Vladislàv Poligràfovič!

Tat'jana Michàjlovna!

Vladislàv Poligràfovič!

Tat'jana Michàjlovna!

Tat'jana Michàjlovna, lei non capisce il dolore che provo io la mia schiena, è il male che mi fa sragionare, Tat'jana Michàjlovna, lei non sa cosa darei per un massaggio, Tat'jana Michàjlovna, capisca, lei che ha avuto così spesso a che fare con la sofferenza umana, si renda conto.

Vladislàv Poligràfovič, sa cosa le dico? Le faccio il massaggio tibetano dell'armonia.

Tat'jana Michàjlovna, lei è una santa.

No, Vladislàv Poligràfovič, non sono una santa, sono una donna d'affari, le costerà caro.

Tat'jana Michàjlovna, tutto quello che vuole.

Mi segua, Vladislàv Poligràfovič, dice Tat'jana Michàjlovna, e prendono su si incamminano verso la coda del treno, lei tutta stenca e dignitosa, lui che da dietro fa un gesto con la mano come per dire che adesso si fionda son senza vergogna, questi vice direttori generali che si trovano in giro.

Vado a fumare, nello scomparto freddo tra un vagone e l'altro c'è Anatolij che fuma intanto che fuma si pettina.

I russi sono abituati che non si vergognano di pettinarsi davanti alla gente. Se li guardi stupito mentre si pettinano ti guardano come per dire E be', cos'hai da guardare, non hai mai visto uno che si pettina?

Ah, che peccato, mi dice Anatolij, quando sono montato a Novosibìrsk mi han chiesto se volevo andare in scompartimento con il regista io ho preferito una cabina tutta per me è proprio un peccato, mi dice, avremmo potuto fare delle belle conversazioni, avrei tante cose, da raccontarle, soprattutto una che poi gliela racconto non è ancora il momento, mi dice Anatolij.

Paolo Paolo, dice Vladislàv Poligràfovič appena mette dentro la testa nello scompartimento, i massaggi tibetani dell'armonia, hai mai provato i massaggi tibetani dell'armonia? No? Be', te li devo raccontare, dice, e si stende.

Allora, Paolo, tu ti spogli nudo, ti corichi di schiena, ti concentri... sul tuo... respiro... Paolo, te li racconto magari un'altra volta, i massaggi tibetani dell'armonia quella donna, Paolo, non hai idea, Paolo, dice Vladislàv Poligràfovič, e si gira su un fianco comincia a russare ho paura che non me li racconterà più, i massaggi tibetani dell'armonia, che domattina tra poche ore arriviamo al lago Bajkàl è ora di scendere, per Vladislàv Poligràfovič.

Il lago Bajkàl secondo la guida è il lago più profondo del mondo, milleseicentotrentasette metri di profondità cristallina.

Dice la guida che un nuotatore che sfidasse le fredde acque del lago Bajkàl dovrebbe stare attento alle vertigini, che l'acqua è così pura, nel lago Bajkàl, che si vede fino a quaranta metri di profondità. Questo perlomeno, dice la guida, fino a poco tempo fa, perché adesso ultimamente pare che l'ecosistema l'han danneggiato, stare a quello che dice la guida.

Nel millenovecentosessanta, per esempio, in conseguenza del fatto che il presidente americano Eisenhower aveva espresso il desiderio di visitare il Bajkàl, han costruito in due mesi un'autostrada che collega Irkùtsk al lago. Dopo il viaggio è saltato per motivi politici, ma ormai l'autostrada l'avevano fatta, è rimasta. Comunque, dice la guida, degli oltre duemila tipi di piante e animali classificati in natura, il settanta ottanta per cento si trova qui nel lago Bajkàl.

Nel lago vivono per esempio pesci e spugne che altrove stanno solo in acqua salata, e fra i pesci più pregiati ci sono l'immenso storione e il delizioso omul, della famiglia del salmone e della trota. Purtroppo questa specie sta sparendo rapidamente a causa del fatto che l'ecosistema è messo in pericolo da vari fattori, dice la guida, per esempio un kombinator che produce cellulosa che il suo vice direttore generale si chiama Vladislàv Poligràfovič.

Vladislàv Poligràfovič, Vladislàv Poligràfovič, dice Vladìmir Anatólevič scuotendo Vladislàv Poligràfovič.

Sì sì, dice Vladislàv Poligràfovič nel dormiveglia, Sì, dice.

Vladislàv Poligràfovič, si svegli, tra mezz'ora arriviamo ad Angàrsk, lei deve scendere.

Cosa? dice Vladislàv Poligràfovič aprendo gli occhi.

Tra mezz'ora è arrivato, gli dice Vladìmir Anatólevič.
Ah, grazie, dice Vladislàv Poligràfovič, portami per cortesia cinquecento grammi di vodka, se non ti dispiace.

Paolo Paolo, beviamo all'amicizia tra il popolo russo e il grande popolo italiano, che ha dato al mondo non solo il calore la passione dei neapoletani, ma anche la pazienza e la capacità di ascoltare dei... di che città sei tu, Paolo? Parma? Anche la pazienza e la capacità di ascoltare dei parmoletani, Paolo, che tu sei stato sempre buono e tranquillo lì ad ascoltare e hai fatto bene, Paolo, che con le cose che ti ho raccontato adesso ne puoi scrivere sei, di film, a noi, Paolo, addio, io devo andare siamo arrivati.

Spunta nel coupé la testa di Vladìmir Anatólevič Le conviene scendere, mi dice, qui sul lago vendono un pesce si chiama omul è molto buono, se vuole provarlo sentire com'è può farlo adesso lo vendono solo qui sul lago Bajkàl.

Salato o bollito? mi chiede la vecchia che vende il pesce.
Salato.
Grande o piccolo?
Piccolo.
Dieci rubli.
Faccio per pagare, dalla coda del treno vedo che viene verso di noi Vladislàv Poligràfovič.

Hai dimenticato qualcosa? gli chiedo.
Il cuore, mi dice lui.

Dammi una bottiglia di gin tonic, dice a Vladìmir Anatólevič, che devo dimenticare, e Vladìmir Anatólevič monta sul vagone va a prendere una bottiglia da un litro e mezzo di gin tonic.

Vladislàv Poligràfovič vede il mio pesce Hai preso l'omul? mi chiede, Ma è piccolo, quello che hai preso, mi dice, e si rivolge alla vecchietta Dategli dell'omul, a questo ragazzo, dategli tutto il pesce che vuole, dice, poi prende la bottiglia da Vladìmir Anatólevič, gli dà cento rubli, ci gira le spalle, si incammina verso la città con il suo gin tonic e le sue pene d'amore con Vladìmir Anatólevič che vederlo andar via scuote la testa Biznesmèny, dice.

Paolo, venga con noi che beviamo un po' di vodka, venga venga che anche Andrej è contento.

Va bene, gli dico, se posso permettermi di offrirvi un omul, è un po' piccolo ma dicono che è così buono.

Modo di dire russo, dice Anatolij unendo in un cerchio l'indice e il pollice, Lučše màlenkaja ryba, čem bol'šój tarakàn, Meglio un pesce piccolo, che un grande scarafaggio.

Ma tu, mi chiede Andrej intanto che beviamo un altro mezzo litro di vodka, aveva ragione, mi vien da pensare, Lena Vladìmirovna, a dire che più che altro si beve, su questo treno, Ma tu, mi chiede Andrej, di cosa scrivi?

Della transiberiana, gli dico.

Ho capito, della transiberiana, mi dice, ma della transiberiana di cosa?

Eh, delle stazioni, di quello che succede, di quello che si dice.

Ma tu, mi dice Andrej, non hai una famiglia?

In che senso?

Non sei sposato, non hai dei bambini?

No, gli dico.

Ah, ecco. Se eri sposato se avevi dei bambini non avevi tanto tempo da perdere, scrivere delle stazioni di quel che si dice della transiberiana. Io poi, mi dice Andrej, non ho ancora capito bene di cosa scrivi.

Di te, gli dice Anatolij, scrive di te. Il più rispettabile e stimato passeggero del treno transiberiano numero due, Andrej Sergéevič Končalovskij, gli dice Anatolij.

Davvero? mi chiede Andrej.

Eh, gli dico io.

No, dice Andrej, mi prendete in giro. Però, dice, se vuoi scrivere di qualcosa di interessante scendi a Irkùtsk fai un giro in stazione che alla stazione di Irkùtsk c'è pieno di puttane.

E tu come fai a saperlo? gli chiedo.

Ne ho sposata una, mi dice.

Ma no, ma no, dice Anatolij, non bisogna raccontar queste cose, non bisogna.

See, dice Andrej, non bisogna. Dopo una settimana che ero sposato m'è venuta anche la gonorrea, non bisogna, bisogna, bisogna denunciarle, queste cose, dice Andrej che fa l'operaio va a trovar suo cognato, il fratello della seconda moglie, che dalla puttana ha divorziato s'è risposato adesso ha una moglie un figlio un matrimonio felice sta bene gli è passata anche la gonorrea.

Oggi solo cibi freddi, dice l'inserviente del vagone ristorante, stanotte c'erano quaranta gradi sotto zero è saltato il riscaldamento del vagone ristorante lo stanno aggiustando Oggi solo cibi freddi, dice l'inserviente del vagone ristorante.

Quando arriviamo a Irkùtsk stiamo fumando, io Andrej e Anatolij, non scendiamo a veder le puttane, finiamo le nostre sigarette nel silenzio del comparto freddo io aspetto che Anatolij mi racconti la sua storia ma fino a quando c'è Andrej mi sembra che non mi racconta niente, restiamo lì in silenzio fino a che non entra un viaggiatore nuovo, un ragazzo sui venticinque che si presenta, Volodja, si chiama, si accende anche lui una sigaretta Ah, dice, mi han detto che qui c'è un regista, è lei il regista? mi chiede.

Sì, gli rispondo.

Ah, bene. Io, invece, vado in bagno.

A me sembra che non sia molto serio, scrivere un film che si svolge in Siberia senza nemmeno pronunciare la parola tajgà. Bisogna che ce la mettiate, da qualche parte, questa parola, se volete un consiglio.

Spunta nel coupé la testa di Tat'jana Michàjlovna Signor regista, mi dice, le ho portato una foto ricordo, e mi dà questa foto con tre orfani della transiberiana tutti sporchi con dei maglioni che ci stanno dentro due volte e lei dietro tutta truccata tutta elegante che li abbraccia li avvolge tutti e tre con le sue grandi braccia da neurochirurgo con delle mani con delle dita tutte distese nella loro lunghezza ingioiellata Grazie, le dico.

Le ho scritto dietro la mia e-mail, così ci teniamo in contatto per i nostri progetti, adesso mi scusi la devo lasciare che ho un giro di massaggi, non ci si crede, buona notte, signor regista, sursum corda, è latino, significa stia su con la vita la vedo un po' mogio, io vado che ho molto da fare la saluto, signor regista, non si scordi di scrivermi mi raccomando, mi dice Tat'jana Michàjlovna.

Un'astronave che viaggi alla velocità di ventottomila chilometri all'ora, impiegherebbe novanta minuti per compiere un intero giro attorno alla terra e di questi, dice la guida, quindici minuti per sorvolar la Siberia. Per quello sono già cinque giorni che viaggiamo mancano ancora più di duemila chilometri a Vladivostók, per quello, mi vien da pensare mentre son lì nel corridoio che guardo l'orario.

Son lì che guardo l'orario, mi si avvicina Anatolij È lunga, eh, dice. Modo di dire russo, dice Anatolij, Vremja, den'gi, il tempo è denaro, noi siamo ancora moderatamente ricchi.

Andrej sta dormendo, approfittavo di questo momento per venirla a trovare per fare due chiacchiere, se non le dispiace. Come beve, quel ragazzo. Anch'io, non bevo poco neanch'io, solo io lo reggo meglio. Poi io di solito non bevo molto io bevo adesso per un motivo. Non so se la vuole sentire, mi dice Anatolij, ma io avrei una storia da raccontarle, la vuole sentire?

Io lavoro a Novosibìrsk ho una piccola impresa costruiamo le saune le cose van bene, son conosciuto siamo in buoni rapporti con tutti. Ho una bella casa, ho della terra, ho degli animali di proprietà, viviamo bene, mia mamma, mia suocera, mio suocero, mia moglie, io e mio figlio. Mio figlio cioè, mica tanto.

Mio figlio adesso è un anno e mezzo che non vive con noi, è a militare. Io con le mie conoscenze potevo farlo stare a casa, si tratta di pagare, non c'è problema, i soldi ci sono, solo lui ha insistito voleva partire Per cambiare, diceva, Va bene, gli ho detto io.

L'hanno destinato a un reggimento qui a Bikin, vicino a Vladivostók, vede, mi indica sulla cartina, nove ore prima.
Nove ore di treno, gli dico a Anatolij, in Italia si considera lontano, dico, e ho appena finito di dirlo che mi vien da pensare Ma che cazzo dici?

Eh, nove ore di treno voi fate tutta l'Italia per il lungo, probabilmente, mi dice Anatolij, solo lei si renderà conto qui nove ore son poche. Comunque, le dicevo, mio figlio è andato a Bikin a fare il militare un anno e mezzo fa, si deve congedare tra sei mesi, però chi lo sa.

Cioè è successo che due mesi fa mio figlio ha smesso di scrivere. Prima scriveva regolarmente, due mesi fa improvvisamente senza preavviso ha smesso. Noi non sapevamo cosa pensare, siamo andati da dei nostri vicini di casa che hanno anche loro un figlio che fa il militare in un reggimento vicino a Bikin, i due ragazzi si erano conosciuti avevano fatto amicizia, abbiamo chiesto Sì, ci hanno detto, nostro figlio ci ha scritto, di vostro figlio, ci ha scritto che non l'ha più visto lo è andato a cercare al suo reggimento al suo reggimento dicono che non c'è più. Allora, lei mi capisce, io e mia moglie non sapevamo più cosa fare.

Sono andato da un avvocato, gli ho spiegato la situazione, Facciamo un'istanza al reggimento, mi ha detto, l'abbiamo fatta l'abbiamo spedita. Ho aspettato, una settimana, due settimane, tre settimane, nessuna risposta. Sono andato ancora dall'avvocato, Facciamo un'altra istanza al reggimento menzioniamo anche la prima, mi ha detto l'avvocato, abbiamo fatto un'altra istanza, l'abbiamo spedita. Ho aspettato, una settimana, due settimane, nessuna risposta. E adesso cosa faccio? ho pensato. Vado a cercare mio figlio al reggimento, ho pensato, e adesso sto andando al reggimento a cercare mio figlio, mi dice Anatolij.

Io, mi dice Volodja, una persona che vorrei conoscere è Gian Franco Ferré, si può conoscere? Gian Franco Ferré a me piace molto, i vestiti che disegna, di classe.

Io mi occupo di ferro, però mi interessa molto la moda, dice Volodja. Mi interessa anche la ristorazione.

A Vladivostók, per esempio, io mi son sempre chiesto come mai una città di seicentomila abitanti non c'è neanche un ristorante italiano.

Alla stazione di Petrovskij zavód le finestre del mio scompartimento finiscono proprio di fronte alla statua di Lenin argentata con sotto la statua a far da corona i busti di dieci dei rivoluzionari che nel dicembre del milleottocentoventicinque avevan provato a far della Russia una monarchia costituzionale, alcuni li avevano impiccati subito, altri la maggior parte li avevan mandati in prigione a vita in Siberia a Petrovskij zavód.

Cosa dici, mi dice Volodja, se lo aprissimo io e te, un ristorante italiano? A Vladivostók si sta bene, non è come il resto della Siberia che c'è sempre freddo, a Vladivostók c'è l'oceano pacifico e un clima temperato che la cucina italiana secondo me è adatta.

A Čita io Volodja e Anatolij consegniamo Andrej a suo cognato, gli portiamo le borse che Andrej non è molto fermo, sulle sue gambe, suo cognato come lo vede si mette a ridere, l'abbraccia, Non sei cambiato, gli dice.

Tornati sul treno Andiamo a mangiare? chiede Volodja.
Va bene, dico io.
No, dice Anatolij, io ho le mie oche faccio da solo andate voi, dice.

Nel vagone ristorante nei portafiori, al posto dei fiori finti di plastica ci sono dei gigli, dei crisantemi un po' smorti, già quasi appassiti, non han resistito, si vede, coi quaranta sotto zero di quella notte quando è saltato il riscaldamento.

Anatolij, s'è chiuso dentro la sua cabina non esce più.

A Eroféj Pàvlovič monta un cinese, non dice niente non parla mai probabilmente non sa parlare.

Dice Volodja che ha incontrato Anatolij in corridoio con una guancia gonfia Cos'hai fatto? gli ha chiesto, lui ha risposto che ha bevuto che non si ricorda niente ha il dubbio di aver fatto a botte con il cinese.

No, mi dice Volodja, pensaci, che Vladivostók non è un brutto posto, per stabilirsi. Se no potremmo portare qualcosa di russo in Italia, cosa vi manca, di russo, in Italia?
I biliardi.
I biliardi? mi chiede. In Italia non avete i biliardi?

Il cinese, è sceso a Obuč'ie col treno che era già ripartito è sceso col treno in corsa si vede non si era accorto che era arrivato.

Anatolij, è sceso di notte senza farsi vedere non ciò più parlato.

Volodja, è sceso con me a Vladivostók prima di scendere mi ha allungato un contenitore di plastica nero Cos'è? gli ho chiesto, Lucido, mi ha detto, per lucidarti le scarpe.

Nevicava poi forte, quando siamo arrivati.

Terzo intervallo
Come sono sensibile

All'aeroporto siam rimasti sei ore a aspettare che toglies-sero il ghiaccio dalle ali del nostro aeroplano in una sala d'at-tesa con una grande televisione che trasmetteva delle teleno-vele messicane.

Siam poi ripartiti per le nostre otto ore di aereo per Mo-sca, ho fatto il viaggio con un marinaio sposato con una tai-landese, m'ha fatto vedere la fotografia della moglie, fatta in una di quelle macchine che stampano degli adesivi con dei cuori e dentro la faccia piccola di sua moglie in un aereo pie-no di cinesi che sembravano assatanati, si tiravan le cose, gri-davano forte.

Ma tu cosa fai? m'ha chiesto a me il marinaio a un certo momento.

Scrivo dei dialoghi, gli ho detto.

Che dialoghi? m'ha chiesto lui.

Comici, gli ho detto io, e lui ha sorriso, m'ha indicato i no-stri compagni di viaggio Allora ce n'hai, da scrivere, m'ha det-to lui.

Al Cosmos hotel sono arrivato tardissimo, c'era la televi-sione, nella mia stanza, ma l'unico canale italiano che si vedeva era il primo canale c'erano dei programmi notturni che si parlava della grande anima della grande cultura tradizionale si citavano degli scrittori serbi o rumeni che io non li ho mai letti e non li leggerò mai nella mia vita mi sembrava come se ero capitato su un canale nazista ho spento la televisione l'eccitazione del viaggio non riuscivo a dormire ho passato mezz'ora a guardare fuori dal Cosmos hotel una specie di fiera col monumento di un razzo che c'è davanti al Cosmos hotel sono rimasto mezz'ora incantato a guardare le luci che si spegnevano, che si accendevano, il gioco del vento con le bandiere e il quartiere sporco e moderno e semideserto di Mosca che si vedeva dalla finestra e io, questi posti così brutti e arroganti e indifesi, mi piacciono molto, ho pensato, anche più delle persone.

E il giorno dopo sul treno, ci son quei ricordi che restano a galleggiarti dentro la pancia anche degli anni, mi viene in mente di una volta che ero montato su un treno, avevo la testa piena di pensieri guardavo fuori dal finestrino per non guardare in faccia la gente ero assediato dalle ansie dai nervosi dai risentimenti a un certo punto Ma a me, avevo pensato, che cazzo me ne frega, e come avevo pensato così avevo cominciato a vedere i posti che passavano sotto il finestrino, dei campi, dei normalissimi campi della pianura padana ma avevano una cosa, quella volta lì, nel mio sguardo, era evidente che erano i campi del mio posto natale la madre terra, la chiamano in Russia, e mi avevan riempito di una cosa così grande, una cosa piena che contenerla faceva fin male, mi torna in mente sul treno prima di arrivare che quando arrivo è già quasi notte, esco sul piazzale, ci son due persone in piedi al parcheggio dei taxi, una alla fermata dell'autobus e un telefono che suona a vuoto.

Attraverso il piazzale, entro nella reception del Ferrotel, c'è una ferroviera Mi dica, mi dice.

No niente, mi scusi.

Esco nel piazzale, l'attraverso, nel traversare vedo che la donna che aspetta l'autobus ha le braghe della tuta della robe di kappa e dei capelli riccioli e gonfi, non sembra un'attrice o una che comunque lavora nel cinema.

Il telefono dei taxi continua a suonare a vuoto, io mi accendo una sigaretta, mi appoggio alla parete della stazione Ma quanti taxi ci sono, in questa città? sento che dice uno dei due che aspettano il taxi a quell'altra.

Ma, io ne ho visto sempre uno solo.

E per qualche minuto sempre così, buio, vialone deserto, telefono che suona a vuoto, taxi e autobus che non arrivano, questi tre che aspettano, io che finisco la mia sigaretta Ma quando arriva, potremmo prenderlo insieme? chiede quello che aspetta a quella che aspetta e io butto via la sigaretta e mentre la schiaccio vedo quella che aspetta l'autobus che si dirige verso di me Scusi, mi chiede, non sa quando passano, gli autobus?

Aspetti che guardiamo, le dico, e mi avvicino alla fermata vedo che al posto degli orari c'è un cartellone del circo di Moira Orfei, mi volto No, le dico, non lo so, mi dispiace.

Ah, dice lei, niente, e io, non so cos'è, veder da vicino quei capelli gonfi quella tuta della robe di kappa mi viene da chiederle Mi scusi, ma lei, lavora nel cinema?

Cosa? mi dice lei, e mi guarda negli occhi e da lì dentro mi vien su un abisso che io Niente, le dico, e devo guardare per terra Mi scusi, le dico, e devo rientrare quasi di corsa nell'androne della stazione mettermi sulla panchina prendermi le gambe tra le braccia e piangere per un quarto d'ora fino a quando non mi viene il pensiero Come sono sensibile, penso, che piango per una persona che non conosco neanche e dopo arriva il pensiero che sono una testa di cazzo e che la commozione alla fine è sempre commozione per me e allora da testa di cazzo poi mi ricompongo e quando mi ricompongo alzo la testa, vedo che c'è un uomo con una pettorina verde e gialla che mi viene incontro Duecentoventuno, mi dice, dammi il pacco prendi questo, e mi allunga il pacco nuovo Il tuo treno parte sul primo binario tra venticinque minuti, mi dice, e poi si gira e mi volta le spalle e camminando veloce esce dall'androne della stazione.

Quarto film
Lo spirito santo

Quando arrivo alla cattedrale della Santa Croce di Petrozavódsk c'è la funzione, mi siedo fuori a aspettare, ci son sulla porta due vecchie che vendono dei santini e un uomo che fa dondolare la testa, e mi guardano.

Dopo un po' l'uomo mi si avvicina, Vieni da molto lontano? mi chiede.

Dall'Italia, gli dico.

Ah, dice lui, noi preghiamo molto, per l'Italia, hai una sigaretta?

Gliela do.

Sì sì, noi preghiamo per l'Italia la ricordiamo sempre, nelle nostre preghiere, mi dice, poi si mette a fumare si chiude in se stesso Chissà a cosa sta pensando, mi vien da pensare.

Nestore, monaco russo vissuto a Kiev nella seconda metà dell'undicesimo secolo, scrive nella Cronaca degli anni passati che la Russia è diventata cristiana alla fine del decimo secolo per decisione del principe Vladìmir.

Finito di fumare Ascolta, mi dice, io dovrei prendere un treno mi mancano cinquanta rubli, non avresti cinquanta rubli da darmi?

Gli do i cinquanta rubli.

Sì sì, mi dice, è venuto anche il metropolita, questa primavera, ha parlato nella cattedrale, sentissi che voce, che ha, forte, ha detto che anche lui prega molto, per l'Italia, che la ricorda sempre, nelle sue preghiere, sentissi che voce, che ha, fortissima, mi dice il fedele, grazie, per il contributo, mi dice.

Dice Nestore che nell'anno seimilaquattrocentonovantaquattro, si contavano allora gli anni dall'inizio del mondo, il seimilaquattrocentonovantaquattro corrisponde al nostro novecentottantasei, dice Nestore che nell'anno seimilaquattrocentonovantaquattro si presentarono al principe Vladìmir due mussulmani e gli chiesero di abbracciare la fede mussulmana e di inchinarsi davanti a Maometto.

Quando vedo che esce la gente che è finita la funzione entro nella cattedrale Vorrei parlare con il pope, dico a una ragazza nell'angolo della navata laterale che sta dentro un chiosco di legno a vender dei libri, delle piccole riproduzioni di icone, delle uova di legno Lo trova nella sacrestia, l'edificio di fianco.

In che consiste dunque la vostra fede? chiese Vladìmir, e i mussulmani risposero che bisognava circoncidersi, non mangiare carne di porco, non bere vino e che, dopo la morte, si sarebbe goduta la voluttà con donne. Giacché Maometto, dissero i mussulmani, darà a ciascuno settanta belle donne, tra le quali l'uomo si sceglierà una moglie, che riunirà in sé la bellezza di tutte le altre.

Entro in sacrestia Dovrei parlar con il pope, dico al sacrestano.

Arriva tra cinque minuti, mi dice lui, si sieda, e mi siedo lì nella sacrestia con il sacrestano.

Dice Nestore che Vladìmir stava a ascoltare i mussulmani con dolce sentire, perché egli medesimo era amante del sesso femminile e della voluttà. Ciò che però non gli andò a genio fu la prescrizione della circoncisione e della rinuncia alla carne di maiale e al vino.

In Russia si beve forte, disse Vladìmir ai mussulmani, e senza bere noi non possiamo vivere. Dice Nestore che qualche anno dopo Vladìmir fu convinto dall'inviato di Costantinopoli e la Russia per quello, divenne ortodossa.

Il sacrestano prima di fare il sacrestano era marinaio, era stato in Svezia in Giappone in Algeria a Cuba in Italia non c'era mai stato Ci dev'essere caldo, mi dice.
D'estate c'è caldo, gli dico io.
Io il caldo non lo sopporto, dice lui.

Son stato l'anno scorso in Georgia c'era un caldo che si crepava c'era un georgiano sotto una tenda, sa come sono i georgiani, mi dice, neri di pelle sembran dei diavoli Georgiano, gli ho detto, tu che sei un uomo nero, dài all'uomo bianco il riposo, e mi sono infilato dentro la tenda ho passato tre giorni dentro la tenda ma è arrivato padre Sergij, Padre Sergij, c'è un italiano ha bisogno di lei.

Vorrei farle due domande sulla cattedrale, dico a padre Sergij.
Quando?
Adesso, gli dico. Lo vedo imbarazzato Guardi, se non ha tempo è lo stesso.
No no, mi dice lui, di tempo ne ho, solo che così a memoria non mi ricordo.

L'unica cosa che mi sa dire, è che la cattedrale era stata fondata nel milleottocentocinquantadue, che era stata chiusa nel periodo sovietico, che l'avevan riaperta da qualche anno e che se voglio ripassare al pomeriggio mi dice di più, solo che al pomeriggio io ho già preso il biglietto devo andare nelle isole Kižì, non posso mica.

Allora guardi, mi dice padre Sergij, le lascio questa rivista dove c'è fotografato lo spirito santo, e mi apre sotto gli occhi una rivista con la foto di un bambino che sta prendendo la comunione e sopra la sua testa c'è una cosa che può essere o un difetto di stampa della fotografia o lo spirito santo.

Entrare nel museo a cielo aperto delle isole Kižì, sul lago Onega, non è difficile. Basta prendere un battello da Petrozavódsk, fare la fila alla cassa e pagare.

Venti rubli, se si vive in Carelia, quarantacinque rubli, se si vive in Russia, duecentonovantatré rubli, se si è stranieri.

Forse è per spiegargli queste differenze, che la cassiera ci mette un quarto d'ora a fare il biglietto a quello che è davanti a me, un giapponese con i capelli dritti uno zaino della nike e due occhiali azzurri smaltati moderni da occidentale.

Dice la guida che l'edificio più significativo delle isole Kižì è la chiesa in legno della trasfigurazione, con ventidue cupole, costruita con asce e scalpelli senza neanche un chiodo nel millesettecentoquattordici. E dice, la guida, che dal millenovecentocinquantuno sulle isole Kižì hanno portato, prima dalle zone circonvicine poi da tutta la regione, esempi tipici dell'architettura in legno del nord della Russia: chiese, izbe, cappelle, ville, bagni, pozzi, mulini che sono diventati, da chiese, izbe, cappelle, ville, bagni, pozzi, mulini che erano, oggetti etnografici inseriti nel contesto di un vero e proprio museo a cielo aperto, visitato ogni anno da centinaia di migliaia di turisti, dice la guida.

A me, più di queste meraviglie etnografico-architettoniche, a me piace di più il fatto che da un pontile dell'isola dei turisti russi si spogliano si tuffano e poi gridano Oooooh, è fredda!, e che sul battello che ci porta indietro a Petrozavódsk a un certo momento un bambino Dov'è la riva? chiede spaventato a suo babbo, che non si vedono più le rive del lago e intorno c'è solo il nero dell'acqua e neanche una nave fino a che, ma dopo del tempo, non compare ancora la riva scura di Petrozavódsk.

Nel telefax che avevo trovato quando avevo fatto il check-in c'era scritto Usa di più le guide, cosa te le diamo a fare? A me già in transiberiana sembrava di averle usate moltissimo, qui all'inizio anche le cose su Nestore le ho trovate poi sulla guida se fosse stato per me non ce le avrei messe neanche.

Petrozavódsk è una città che è stata interamente ricostruita dopo la seconda guerra mondiale, il lungofiume è pieno di statue moderne, di quelle che non piacciono a nessuno, i palazzi sullo sfondo ricordano il lungomare di Numana, nelle Marche, l'albergo dove mi han prenotato è proprio sul lago c'è una vista che sembra di essere in un albergo di Numana, nelle Marche, però c'è una tivù col satellite si vedono tutti i programmi che voglio e alla fine, sembra incredibile, da un albergo di Petrozavódsk imbrocco il canale di Teleducato di Parma la trasmissione Parma Europa che c'è un dibattito sull'inceneritore di Reggio Emilia che han rifiutato i rifiuti di Parma peccato che non posso guardarlo fino alla fine che tra un'ora e mezza mi parte il treno per Kem' e devo ancora mangiare.

Proprio di fianco alla stazione, sulla prospettiva Lenin, all'incrocio con via Gor'kij, non han cambiato i nomi delle strade, a Petrozavódsk, all'incrocio tra la Lenin e la Gor'kij c'è un locale con una grande insegna rossa con scritto Nostal'gìja, restoràn-blìn, con una grande vetrata oltre la quale si vede l'unico cliente, un giapponese con i capelli dritti uno zaino della nike e due occhiali azzurri smaltati moderni da occidentale.

Dentro è pieno di foto di glorie dell'Unione Sovietica, Gagarin, Brežnev, Černenko, Evtušenko, Jašin e anche degli altri che io non conosco, e oltre al giapponese seduto al suo tavolo alto sopra al suo sgabello alto con davanti una coca cola da un litro e mezzo non c'è nessuno, neanche uno straccio di ristoratore si sente soltanto venir fuori da un magnetofono rosso marca Svukočùd abbastanza alta come volume una canzone di un gruppo uzbeco che si intitola Učkudùk e che risale forse ai primi anni ottanta il primo esempio di pop-rock sovietico sul modello dei Pink Floyd degli inizi.

Il giapponese mi guarda, gli faccio un segno abbassando la testa, una specie di inchino I saw you in Kižì, today, gli dico.

Yes, dice lui.

Did you enjoy islands? gli chiedo.

Islands?

Kižì.

Oh, interesting, dice lui, very interesting.

A me mangiare con la musica non è mai piaciuto Io lo spegnerei, questo Svukočùd, penso intanto che entra dal retro il ristoratore con un vestito bianco da cuoco e in mano un vassoio con tre bliny per il giapponese.

Ne ordino tre anch'io e dell'acqua minerale e chiedo se posso spegnere la musica.

Se il signore è d'accordo, mi dice il ristoratore indicando col mento il giapponese e poi sparisce nel retro a fare i miei, di bliny, che sarebbero poi come le crêpes, che in italiano son poi le frittelle.

Vado dal giapponese Do you mind if I turn off the radio? gli chiedo.

Lui alza gli occhi dai suoi bliny Do you mind? mi chiede.

Vado al registratore, lo spengo.

Oh, dice il giapponese, it's ok. Ja ne ponimaju po-russki, mi dice, Io non capisco il russo, significa.

Eggià, penso intanto che mi torno a sedere, perché invece in inglese capisci bene.

Le finisce prestissimo, le sue frittelle, poi dà un bel tirone di coca, fa un bel sospiro soddisfatto, chiude la bottiglia, la mette nello zaino, tira fuori il portafogli, si alza dal suo sgabello, apre il portafogli, tira fuori una cosa, mi si avvicina, mi sbatte davanti con quei bei gesti decisi da giapponesi un foglietto: lo prendo in mano, guardo, un biglietto del treno Petrozavódsk-Belomórsk.

Gli restituisco il biglietto, lo guardo, Ah, gli dico.

I, go, visit, Belomorkanàl, mi dice il giapponese. You? Go? Visit? Belomorkanàl? mi chiede.

I, don't, go, visit, Belomorkanàl, gli dico.

But my guess is that it will be a sad, visit, gli dico.

But my guess?

Intanto che percorro il mio treno che cerco la mia cuccetta per Kem' un po' mi dispiace, di non essere andato a Belomórsk col giapponese, ci sarebbero venuti fuori dei dialoghi interessanti, a seguire il giapponese nella sua vacanza nell'ex Unione Sovietica.

Ci son degli studi scientifici che dicono che questa regione a nord di Pietroburgo, la Carelia, è una delle regioni al mondo dove si dorme di più. L'impressione che ho io che si dorma molto bene, nel mio treno mi sveglio di colpo penso che siano le undici del mattino Quanto ho dormito? mi vien da pensare, poi guardo la sveglia, son le tre e mezza. Accendo la lucina, là in alto, nella cuccetta, mi metto a legger la guida la leggo fino a quando arriviamo.

Kem' è cento chilometri a sud del circolo polare artico, sul mar Bianco, che è un mare che non sembra neanche un mare, dal tanto che è settentrionale, rimanda direttamente un'idea di freddo così forte che prima di salir sul battello io devo prender qualcosa di caldo, vorrei un cappuccino, trovo un boršč, un minestrone di cipolle e barbabietole con panna acida che qui lo bevono anche d'estate ghiacciato come bevanda dissetante.

Il Belomorkanàl è un canale navigabile che unisce il mar Bianco al mar Baltico. È lungo duecentoventisette chilometri, e è stato costruito negli anni trenta dai reclusi nei lager.

Sul battello c'è un russo corpulento, con una camicia sintetica a quadretti grigi e neri, una valigetta di pelle, mi guarda di continuo, è curioso, si vede, in Russia è anche normale.

Che qui in Russia, sarà che son stati isolati per tanto tempo dall'occidente, il fatto di esser straniero esercita un'attrazione, sui russi, incredibile.

La prima volta che ci son stato, nel novantuno, la figlia giovane della padrona di casa che ci ospitava telefonava alle sue amiche Niente, diceva, volevo dirti che noi abbiamo degli italiani, qui ospiti in casa. No no non venirmi a trovare che non ho mica tempo, poi ti racconto quando van via, ti dico solo che son molto strani.

Anche il russo corpulento alla fine non si può trattenere mi si viene a sedere vicino Buongiorno, mi dice, lei è finlandese?
Italiano.
Ah, italiano, dice, Cipollino, Cipolletto, Cipolluccio.

Al Belomorkanàl lavoravano centomila detenuti per la

maggior parte politici, lavoravano giorno e notte in tre turni di otto ore indipendentemente dalle condizioni meteorologiche con obiettivi inderogabili fissati per la giornata. Se una squadra non rispettava il suo obiettivo, il giorno dopo la sua razione alimentare veniva ridotta. Non mangiare abbastanza poi diventava quasi impossibile rispettare l'obiettivo fissato e se la squadra non rispettava l'obiettivo fissato il giorno dopo la sua razione alimentare veniva ridotta. Si arrivò a una mortalità di settecento detenuti al giorno, prontamente sostituiti da altri detenuti per mantenere la forza lavoro invariata, centomila unità.

Il russo si chiama Gerasim, fa lo storico del Medioevo si offre di farmi da guida al monastero della Salvezza nella Trasfigurazione, con gli stranieri i russi son d'un gentile, sarà che son stati isolati per tanto tempo dall'occidente, mi viene in mente una signora molto elegante, una delle prime volte che ero andato a Milano, cercavo la via dell'università Posso chiederle un'informazione? le avevo chiesto Dipende, m'aveva detto lei.

Per costruire il canale di Suez ci han messo dieci anni. Per costruire il canale di Panama, ventotto anni. Per costruire il Belomorkanàl, un anno e nove mesi.

Sembra una fortezza, gli dico a Gerasim quando arriviamo.
È stata, una fortezza, mi dice lui, prima per proteggersi dagli svedesi, poi per proteggersi dallo zar, nel seicento qua dentro i monaci si son rivoltati contro la riforma di Nikon, si ricorda di Nikon? mi chiede.
Vagamente, gli dico.
Nikon ne ha combinate delle belle, mi dice Gerasim, ha causato tanti di quei problemi, mi dice, Cipollino, Cipolletto, Cipolluccio.

Una volta completato il canale, un ottavo dei reclusi ha ottenuto l'amnistia, il sessanta per cento una riduzione della pena, gli altri sono stati trasferiti al sud per la costruzione del canale Mosca-Volga.

Nikon era il patriarca ortodosso che si era accorto che in Russia non officiavano esattamente come a Bisanzio, mi dice Gerasim, avevan cambiato dei particolari. Per esempio a Bisanzio Alleluia lo cantavan due volte, in Russia tre volte. A Bisanzio le processioni andavano con il sole, in Russia contro il sole. A Bisanzio il segno della croce lo facevano con tre dita, in Russia con due.

Nikon aveva deciso di mettere fine a questo disordine, mi dice Gerasim, che anche in Russia il segno della croce andava fatto con tre dita, aveva deciso, e che chiunque si faceva da allora in poi il segno della croce con due dita doveva essere maledetto come un eretico. Questo, lei mi capisce, mi dice Gerasim, diede origine a un terribile scisma.

Il Belomorkanàl è stato inaugurato a metà luglio del millenovecentotrentatré dal battello Anochin, a bordo del quale c'era una commissione statale guidata da Giuseppe Stalin. Dietro di loro un altro battello di cui non si è tramandato il nome trasportava un gruppo di sceneggiatori guidati da Massimo Gor'kij che prendevano appunti, gli era stata commissionata una raccolta di sceneggiature sulla nuova opera del popolo sovietico eseguita a tempo di record.

I monaci di questo monastero dichiararono di voler morire, mi dice Gerasim, piuttosto che lasciarsi imporre mutamenti nel culto. E raccolsero grandi provviste di viveri, e si procurarono novanta cannoni e quattordici tonnellate e mezzo di polvere, e resistettero barricati qua dentro per più di sette anni, caddero solo per il tradimento di uno di loro. Ma lei, non ha fame? mi chiede Gerasim.

Insomma, gli dico.

Venga che andiamo in refettorio, mi dice, a me queste traversate via mare mi mettono sempre un appetito.

La scarsa profondità media, cinque metri, rende il Belomorkanàl scarsamente navigabile.

Il refettorio è un normale self-service sovietico con delle panche di legno, l'unica cosa che han da mangiare a quest'ora sono le uova sode.

Sa cosa? Mi viene in mente la prima volta che sono stato a San Pietroburgo, gli dico a Gerasim, sono arrivato al mattino presto alle cinque, l'unico locale aperto che ho trovato sulla prospettiva Nevskij l'unica cosa che avevan da mangiare erano le uova sode, da bere avevano il tè nero forte che bevete voi in Russia, ho fatto una colazione un po' strana, per un italiano, quel mattino lì.

Non le piacciono le uova sode? mi chiede Gerasim.

No no, mi piacciono, gli dico.

Anche a me, piacciono, mi dice Gerasim, io ne prendo cinque, lei quante ne prende?

Ci sediamo con le nostre uova C'era ancora l'Unione Sovietica, quando è venuto la prima volta? mi chiede Gerasim.

C'era ancora, gli dico.

E come le è sembrata? mi chiede.

Era strano, gli dico.

Mi ricordo quel giro per la prospettiva Nevskij alle sei del mattino, l'unico negozio occidentale, Lancôme, faceva un effetto stranissimo, la foto di Isabella Rossellini nella Russia dei soviet, e la piazza del palazzo d'inverno deserta coi palazzi sullo sfondo un po' di traverso sembrava di esser finiti in un errore geometrico e prima, sulla destra, in uno slargo, gialla, una cattedrale che sembrava la copia venuta male di San Pietro di Roma.

La cattedrale Kazanskij, mi dice Gerasim, adesso c'è il museo delle religioni ai tempi dei comunisti ci avevano fatto dentro il museo dell'ateismo.

Mi scappa da ridere Eh, mi dice Gerasim, adesso fa ridere, ma avevan dei modi.

In questo monastero, mi dice, uno dei monasteri più antichi della Russia, un monumento nazionale della spiritualità russa, ci hanno fatto il primo campo sovietico di lavori forzati.

In questo posto, mi dice, e fa segno con l'indice verso il soffitto, sono stati detenuti centinaia di migliaia di prigionieri, molti dei quali hanno partecipato alla costruzione del Belomorkanàl.

I comunisti russi, dice Gerasim, non c'era mica tanto da ridere, non come i comunisti italiani che quelli invece eran simpatici, Cipollino, Cipolletto, Cipolluccio.

Bisognerà trovare il modo di far sapere agli spettatori italiani che uno scrittore italiano molto famoso in Russia è Gianni Rodari.

Gianni Rodari in Russia è così famoso che è lo Scrittore Comunista Italiano per eccellenza. E l'opera più famosa dello Scrittore Comunista Italiano Gianni Rodari in Russia è Cipollino.

Allora bisognerà trovare il modo di far sapere agli spettatori italiani che se vanno in Russia e quando dicono che sono italiani si senton rispondere Cipollino, Cipolletto, Cipolluccio, lo so che sembra una cosa priva di senso, invece in Russia parlare con un italiano è una cosa perfettamente normale, bisognerà trovare il modo di fare sapere agli spettatori italiani ci pensate poi voi.

Epilogo
Identity kills the cat

Del viaggio di ritorno non vedo niente un po' per via che questi viaggi cominciano a diventare meccanici, un po' perché dormo sia in aereo che in treno che là in Carelia l'ultima notte ho dormito pochissimo ho guardato la televisione fino alle sei del mattino anche questa volta mi sveglia l'altoparlante Sfondo, stazione di Sfondo, sento, e mi alzo, faccio su la mia roba, scendo alla svelta dal treno, sto per entrare nell'androne della stazione da sinistra sento gridare Thomas! Oh, Thomas! Thomas!

Mi volto, c'è un sessantenne con un paio di jeans stretti, un paio di camperos, una giacca blu coi bottoni dorati e un cappello bianco da texano che agita le braccia Thomas, grida, vieni qua.

Io?

Sì, vieni, mi grida, e mi incammino nella sua direzione e lui come vede che vado verso di lui fa segno di sì con la testa e poi mi gira le spalle comincia a camminare in tondo tenendo le braccia dietro la schiena in una mano una sigaretta accesa.

Quando arrivo vicino Perché mi chiami Thomas? gli chiedo.

Lui si gira Sssssh, dice senza guardarmi negli occhi, e poi a

bassa voce Qui non è come fuori, dice, qui bisogna inventarsi le cose giocare sporco tu non dir niente dammi spago fammi un favore che magari alla fine ci scappa qualcosa anche per te, vieni, mi dice, e butta la sigaretta fa per entrare nel bar.
Cosa fai? È riservato ai ferrovieri, gli dico io.

Ma che riservato ai ferrovieri, dice lui, ascoltami, dice, e si piega verso di me e ancora a bassa voce mi dice Ok, son due ore che la barista mi fa il filo, vieni dentro che te la presento che lei i miei film non li ha mai visti è una che vede gli americani, adesso vediamo, se ha visto almeno i tuoi, dice, e torna dritto, mi guarda negli occhi, mi sorride, scuote la testa, Io altrimenti non ce la faccio, io altrimenti meglio se do subito le dimissioni.

Il bar è minuscolo, con un bancone zincato che lo prende in tutta la lunghezza dal lato sinistro e con il metro e mezzo di spazio per i clienti che in fondo è occupato a metà dal frigo per i gelati.

Non c'è neanche una sedia, neanche un cliente, solo una barista con la sua divisa da ferroviera che sorride da dietro il bancone Signorina, le dice lui, le presento un mio amico che si chiama Thomas che lei di faccia non lo può riconoscere per via che lui è sempre stato fottutamente discreto anche prima, pensi che non c'è in giro neanche una foto, sua, ma lei sicuramente lo conoscerà è un ragazzo molto sveglio L'incanto del lotto quarantanove, l'ha visto?
Ne ho sentito parlare, dice la ferroviera.
Ok, l'ha scritto questo bastardo, dice lui indicandomi.
Davvero? mi chiede la barista.
No, le dico io.
Vede? dice lui, Ha detto di no, vuol dire che è lui, dice, e la ferroviera lo guarda come sorpresa dall'intelligenza di questo pensiero che se ho detto di no vuol dire che son io.

Eh, caro il mio Thomas, dice lui, hai fatto bene a non far sapere a nessuno la tua identità, avresti avuto tutti i dannatissimi problemi che ho io, identity kills the cat, dice, e la ferroviera ride di gusto a questa battuta come se fosse una gran bella battuta, Identity kills the cat.

Finiresti nei fottutissimi posti dove mandano adesso a me, mi mandano nei posti più fottuti perché dicono che sono troppo conosciuto adesso per esempio torno da uno stato che non sapevo neanche che esisteva sulla faccia della terra.

Che stato? gli chiedo.

La Bessarabia. Tu lo sapevi che c'era uno stato che si chiamava Bessarabia? mi chiede.

Io credo che non esista, gli dico, uno stato che si chiama Bessarabia.

Come che non esista? E io dove son stato?

Ah, non lo so.

C'era una città si chiamava Kiši... Kiši... non mi ricordo.

Ma che lingua parlavano? gli chiedo.

Ah, non lo so, avevo il traduttore, i dialoghi li ho fatti scrivere a lui, io mi son concentrato sulle descrizioni, dei posti, avresti dovuto vedere, la prima sera c'era un tramonto di un rosso, di un rosso, ma di un rosso che un rosso così non l'avevo mai visto, non sapevo con che aggettivo descriverlo ci ho pensato, ci ho pensato... sanguinolento, è saltato fuori alla fine. Le sembra un bell'aggettivo? chiede alla ferroviera.

Bellissimo, dice lei, e sfoggia un sorriso tenerissimo di adorazione che lui dice Eh... e poi fa una faccia che è la prima volta che la sua faccia da buono prende un'aria soddisfatta che sia io che la ferroviera siamo lì che stiamo aspettando che abbiam l'impressione che adesso chissà cosa dice solo che non riesce a dir niente.

Che proprio in quel momento entra nel bar un ferroviere con un fischietto cromato appeso alla manica per tramite di una catenella cromata e un bracciale con la scritta SSRN, si ferma un metro dentro il bar, si porta il fischietto alle labbra ci soffia dentro con tutta la forza dei suoi polmoni da ferroviere. Poi tira fuori un biglietto da dentro il taschino, lo spiega, lo stende con le due mani sopra la testa, è un foglio con su scritto, in rosso, duecentoventitré.

Duecentoventitré? dice l'americano, È il mio numero.

L'aspettano nell'androne della stazione, duecentoventitré, mi segua, dice il ferroviere, e ripiega il foglietto, se lo rimette dentro il taschino, riprende in mano il fischietto, se lo riporta alle labbra, ci soffia dentro con tutta la forza dei suoi polmoni da ferroviere e poi gira su se stesso esce dal bar seguito dall'americano che dice Chi è che mi aspetta? Eh?

Mi volto verso la barista Mi scusi, le dico, e vedo che si è seduta sul suo sgabello ha appoggiato i gomiti sul bancone zincato ha raccolto la faccia dentro le mani quando sente il mio Mi scusi si scuote, alza gli occhi verso di me Mi dica, dice, e lo dice con un tono così faticoso, come se pensasse che voglio anch'io dei complimenti No niente, le dico, devo andare.

Grazie, mi dice lei, e abbassa ancora la testa dentro le mani e resta lì seduta con la faccia nascosta dentro le mani e i gomiti sempre poggiati sul bancone zincato.

Esco dal bar, entro nell'androne della stazione, nell'androne c'è l'americano che sta parlando con un uomo con una pettorina gialla e verde Guardi, gli dice, io penso di avere sbagliato forse lo stato. A me la guida avevano detto che eravamo in Bessarabia, invece eravamo... quello stato che la capitale è Kiši... Kiši qualcosa.

Duecentoventitré, queste cose le discute poi per via telefax con la direzione, dice l'uomo con la pettorina, io devo darle il pacco il suo treno parte tra trentacinque minuti sul secondo binario.

Trentacinque minuti, dice l'americano, mi devo sbrigare, dice, e gira rapidissimamente su se stesso parte di corsa ci voltiamo a guardarlo che volta a destra sul primo binario in un gran rumore di suole di cuoio.

Mi volto verso l'uomo in pettorina Raccolta dischetti, raccolta dischetti, distribuzione biglietti, raccolta dischetti, mi canta nei denti e poi Lei che numero ha? mi chiede.

Duecentoventuno [illegible]

Duecento[illegible]ventuno duecentoventuno, dice, sì, mi [illegible] lei ha finito i quattro film di prova deve a[illegible]saminatori vada al Ferrotel a disposizion[illegible] il pacchetto che gli ho allungato e can[illegible] biglietti, raccolta dischetti, distribuzion[illegible]orsa volta a destra anche lui sul primo bi[illegible]ll'americano.

Esco dall'andr[illegible]ale, attraverso il piazzale, entro nella hall [illegible]io ferroviere con la sua penna blu infilata [illegible]uongiorno, gli dico.

Buongiorno, [illegible] va?

Va bene, gli dico, e apro la borsa, tiro fuori un pacchetto Le ho preso una cosa.

Per me? Davvero? dice, e prende il pacchetto, lo apre, prende il vestito, lo spiega Bello, mi dice.

È una gandoura, gli dico, significa contorno, perché sta intorno al corpo. Spero che le vada bene, l'ho preso verde, così fa pendant con l'uniforme.

Il ferroviere se lo infila dalla testa, se lo fa scendere, se lo sente un po' addosso Mi va bene, mi dice.

Le sta benissimo, gli dico io.

Fine

Nota

Da un po' di tempo in qua, sembra che la massima riuscita, per un libro, sia diventare un film. O, ancora meglio, uno sceneggiato televisivo. È talmente forte, questa vocazione cinematografica e televisiva, che molti libri alla fine ormai hanno anche i titoli di coda. Io poco tempo fa quando mi è capitato in mano un libro coi titoli di coda, ho pensato che era come se andavo al cinema e alla fine c'era l'indice. È come se i libri da soli fossero ancora una forma intermedia, come se aspirassero tutti a andare a finire nel serbatoio della cinematografia nazionale che quella lì sì, invece, che conta, il destino del cinema italiano, o dello sceneggiato televisivo, italiano.

INDICE

Stampa Grafica Sipiel
Milano, maggio 2005

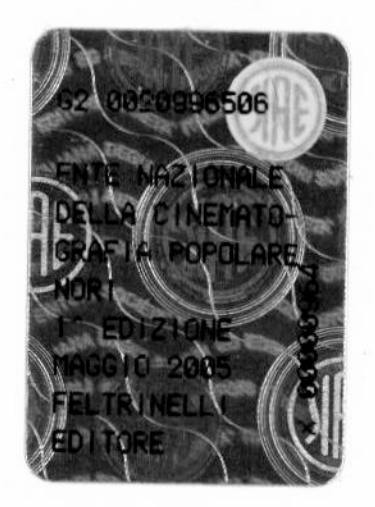